Radek Knapp
Herrn Kukas Empfehlungen

SERIE PIPER

Zu diesem Buch

Auf Empfehlung seines Nachbarn Herrn Kuka reist Waldemar nach Wien. Gegen eine Flasche Wodka hat er auch noch den Namen des preiswertesten polnischen Reiseunternehmens erfahren: Dream Travel. Nun sitzt der junge Pole im Bus und rollt Richtung Westen, zwischen sich und dem großen Reiseziel nur die österreichische Grenze. Während die übrigen Insassen damit beschäftigt sind, hastig Zigaretten in den Hohlräumen des Busses zu verstauen, widmet Waldemar sich dem einzigen weiblichen Wesen an Bord. Die abenteuerliche Grenzüberquerung und Waldemars nur mäßig erfolgreicher Charme geben einen ersten Vorgeschmack darauf, was ihn, unbekümmert und völlig mittellos, im goldenen Westen alles erwartet. In der besten Tradition des Schelmenromans und voller Lakonie schildert Radek Knapp die Abenteuer eines Tagträumers und Möchtegern-Frauenhelden.

Radek Knapp wurde 1964 in Warschau geboren und lebt seit 1976 in Wien, wo er Philosophie studierte und sich mit Gelegenheitsjobs über Wasser hielt. Sein Erzählungsband »Franio« wurde 1994 mit dem Aspekte-Literaturpreis ausgezeichnet. 1999 erschien sein erfolgreicher Roman »Herrn Kukas Empfehlungen«.

Radek Knapp

Herrn Kukas Empfehlungen

Roman

Piper München Zürich

Von Radek Knapp liegen in der Serie Piper vor:
Franio (3187)
Herrn Kukas Empfehlungen (3311, 3586)

Ungekürzte Taschenbuchausgabe
1. Auflage April 2001
5. Auflage November 2002

Umschlag: Büro Hamburg
Stefanie Oberbeck, Isabel Bünermann
Foto Umschlagvorderseite: Hans Wiesenhofer / Agentur Anzenberger
Foto Umschlagrückseite: Thomas Lehmann
Satz: Uwe Steffen, München
Druck und Bindung: Clausen & Bosse, Leck
Printed in Germany ISBN 3-492-23311-2

www.piper.de

1

Wenn ich wissen möchte, warum Vögel nicht rückwärts fliegen, brauche ich nur aus meinem Fenster zu sehen. Alle Ereignisse der letzten zwei Monate rollen dann mit solcher Klarheit vor mir ab, als läge ich im Sterben. Ich sehe Dinge, von denen ich nicht mal wußte, daß sie überhaupt stattgefunden haben, und erkenne Gesichter so deutlich, als würde ich in den Spiegel blicken. Am deutlichsten aber sehe ich mich selbst, den zweifelhaften Helden einer Geschichte, die an jenem Tag anfing, als ich an die Tür dieses Gauners Kuka klopfte, der mir das alles eingebrockt hat.

Obwohl Herrn Kukas Tür so dünn war wie alle anderen in unserem Haus, dauerte es eine Weile, bis er mich hörte. Erst nach ein paar Minuten öffnete sie sich einen Spaltbreit, und das mißtrauische Gesicht von Kuka betrachtete mich von oben bis unten.

»Du bist zehn Minuten zu früh«, sagte er und ließ mich eintreten.

Obwohl es fünf Uhr nachmittags war, hatte er einen Pyjama an, auf dem Kätzchen abgebildet waren, die einem Schmetterling nachhüpften.

Als ich ins Zimmer treten wollte, hielt er mich zurück: »Augenblick mal. Haben wir nicht was ausgemacht?«

Ich holte aus der Tasche eine Wodkaflasche hervor und übergab sie ihm. Er betrachtete sie fachmännisch und nickte: »Sehr schön. Komm rein.«

Wir durchquerten seine Küche, in der es aus einem unerfindlichen Grund nach Benzin roch, und betraten ein spärlich eingerichtetes Wohnzimmer. Seine Einrichtung bestand aus einem runden Tisch und vier Stühlen.

Herr Kuka holte zwei Gläser vom Regal und stellte sie auf den Tisch. Meins war so groß wie ein Salzstreuer und seins wie eine Milchkanne. Er machte sich am Verschluß zu schaffen und sagte: »Solche feinen Leute wie deine Eltern halten mich für einen Säufer. Aber die sollen sich lieber die neue Generation anschauen. Diese neureichen Börsenmakler, die mit einem Golfschläger ihren Hund totprügeln, oder die Tänzer, die in Frauenkleidern herumspazieren und in Parks den Kindern die Schaukeln wegnehmen. Die trinken Coca-Cola. Weißt du, was da drin ist? Kohlensäure«, er tippte sich an die Schläfe, »die ist nicht gut für die grauen Zellen. Sie löst sie auf. In Amerika, wo sie dieses Zeug erfunden haben, findest du längst keine gesunde graue Zelle mehr. Wenn du also noch im nächsten Jahrtausend zwei und zwei zusammenzählen willst, mach einen Bogen um Kohlensäure.«

Er setzte sich an den Tisch und sah zu mir auf. »Was stehst du noch herum?« sagte er. »Setz dich auf deinen Hintern. Leute, die im Stehen trinken, kriegen einen Herzinfarkt.«

Ich setzte mich. Herrn Kukas Stühle waren wohl für Schlümpfe gemacht. Aber Herr Kuka war nur hundertfünfzig Zentimeter groß.

Er goß die Gläser voll und rieb sich die Hände, als wären wir in der Antarktis: »Mit diesem Treibstoff können wir dreimal um den Globus fahren. Also erklär noch mal, was du vom alten Kuka willst.«

»Ich möchte in den Westen fahren.«

»Ach ja? Und wozu willst du in diesen Scheißwesten?«

»Weil ich schrecklich neugierig bin, wie es dort aussieht. Ich wollte das schon, als ich zehn war.«

»Und wozu braucht so ein feiner Sproß wie du den alten Kuka dazu?«

»Weil Herr Kuka sich im Westen auskennt wie niemand sonst.«

Er sah in einen kleinen Spiegel, der auf dem Tisch stand, und sagte zu ihm: »Das hätte ich selber nicht besser ausdrücken können.«

Plötzlich sah er mich mißtrauisch an. »Es wundert mich, daß deine feinen Eltern nichts dagegen haben. Oder habe ich da vor ein paar Tagen doch so etwas wie einen Streit gehört?«

Herr Kuka wohnte genau unter uns. In unserem Haus waren nicht nur die Türen dünn wie Oblaten, sondern auch der Fußboden. Man hörte schon, wenn jemand drei Wohnungen weiter den Tee umrührte.

»Sie haben nichts dagegen«, log ich.

»Hmmm. Verstehe.« Er nahm sein Wodkaglas und sah durch es hindurch. Seine Nase wurde dreimal so lang. »Ich gehe davon aus, daß du dich schon auf deine Reise vorbereitet und dir alle möglichen Reiseführer gekauft und auswendig gelernt hast. Wahrscheinlich weißt du inzwischen über Frankreich mehr als die Franzosen, kennst den Eintrittspreis für alle Museen in Amsterdam auswendig und weißt sogar den Stein, auf den Picasso vor fünfzig Jahren in Berlin gepinkelt hat, stimmt's?«

Ich lief rot an. »Also das letzte stand nicht drin. Aber ich habe mich tatsächlich ein bißchen informiert.«

Herr Kuka machte eine Bewegung, als würde er etwas in der Luft durchstreichen. »Vergiß das wieder. Das ist vielleicht gut für Touristen oder neureiche Börsenmakler. Was unsereiner wissen muß, steht in keinem Reiseführer: nämlich Kukas drei wichtigste Lektionen über den Westen. Ohne die brauchst du gar nicht in den Zug zu steigen. Und da ich dich mag, erfährst du sie von mir umsonst. Die erste wird sich für deine wohlerzogenen Ohren etwas merkwürdig anhören. Sie lautet: Es ist nicht wichtig, wohin du fährst, denn Westen ist überall Westen, sondern wie du zurückkommst. Komm ja nicht in einem ›Womit kann ich dienen‹-T-Shirt zurück, sogar wenn du dafür mit deinem Vorderzahn bezahlen solltest. So wie ich. Schau mal –«

Herr Kuka grinste, um mir zu zeigen, was er meinte. Da er keinen einzigen Vorderzahn mehr hatte, konnte ich unmöglich ausmachen, welcher Zahn im Westen geblieben war.

»Diese Lektion habe ich in England gelernt. Durch eine Verkettung höchst ungünstiger Umstände mußte ich eine Zeitlang in einem Supermarkt arbeiten. Ich fuhr mit meinen sechsundfünfzig Jahren auf Rollschuhen wie ein Teenager und hatte ein T-Shirt an, auf dem auf englisch ›Womit kann ich dienen?‹ stand. Ich mußte Truthähne mit eingebautem Thermometer im

Arsch in Tiefkühlregale stapeln. Einmal fuhr ich so lange mit einem Truthahn unter dem Arm durch den Laden, bis er aufgetaut war und das Thermometer ihm aus dem Hintern gerutscht war. Und ich gutgläubiger Hund bückte mich danach. Als ich am nächsten Tag meine frische Zahnlücke im Spiegel untersuchte, bemerkte ich dieses ›Womit kann ich dienen‹-T-Shirt auf meiner Brust. Und plötzlich wurde mir klar, daß ich in diesem T-Shirt nicht nur Truthähne staple, sondern inzwischen auch schon fernsehe, schlafe und eines Tages noch sterben werde. Da fiel meiner slawischen Seele das Herz in die Pantoffeln, und ich sagte mir: Reicht es nicht, daß schon so viele Verrückte so ein T-Shirt tragen, mußt du das auch noch machen? Am nächsten Tag nahm ich alle meine Kräfte zusammen, ging zum Chef und kündigte. Das erste, was ich zu Hause tat, war, meinen Pyjama anzuziehen und die Zähne zu putzen, die mir noch übriggeblieben waren. Es hat sich gelohnt. Sieh mich an«, Herr Kuka zeigte stolz auf seine Brust, »kein ›Womit kann ich dienen‹-T-Shirt, sondern lauter sympathische Kater, die einen senilen Schmetterling fangen wollen.«

Herr Kuka führte sein Gläschen an den Mund. Aber offenbar hatte er in England nicht nur schlechte Erfahrungen gemacht, denn er trank nicht in einem Zug aus, sondern nippte an seinem Wodka wie ein Engländer an seinem Tee. Er war wirklich einer der kultiviertesten Wodkatrinker, die ich jemals gesehen habe.

Dann fuhr er fort: »Die nächste Lektion habe ich gleich auf dem Rückweg von England gelernt. Ich blieb für ein paar Tage in Paris hängen. Ich wollte mir den Eiffelturm und das Nuttenviertel anschauen, aber meine hochverehrten Landsleute haben mich zu Chopins Grab geschleppt. Wir stehen da bei einem Scheißwetter und starren die Grabplatte von Chopin an. Und da sagt einer plötzlich, daß Chopin sehr glücklich sein muß, daß sein Herz in der Heimat ist. Ich habe gedacht, daß das irgendwie poetisch gemeint war, aber dieser Bursche fängt an, in allen Details zu erzählen, wie man Chopin nach seinem Tod das Herz herausoperiert, es in ein Einmachglas gesteckt und es zu uns gebracht hat. Und während unsere Landsleute mich mit weiteren Anekdoten überschütten, merke ich, daß ich in einem unglaublich großen Haufen Scheiße stehe. Ich dachte, mich trifft der Schlag, als ich das sah. Schließlich bin ich nicht nach Paris gekommen, um vor Chopins Grab in Scheiße zu treten. Aber dann bemerkte derjenige, der von Chopins Herz erzählt hat, was passiert war. Er kam zu mir und sagte etwas, das ich nie vergessen werde. ›Weißt du, Kuka, die Franzosen halten sich für eine auserwählte Nation, aber die französische Scheiße stinkt genauso wie unsere. Ich habe Jahre gebraucht, um das herauszufinden. Du weißt es schon am ersten Tag. Du ahnst nicht, wie ich dich beneide.‹ Das ist die zweite Lektion: Westliche Kacke und östliche Kacke sind identisch.«

»Eigentlich hatte ich nie vor, nach England oder Frankreich zu fahren«, fiel ich Kuka ins Wort. »Ich habe am Telephon von Deutschland gesprochen, weil es am nächsten ist und ich ein bißchen Deutsch von der Schule kann.«

»Und deshalb habe ich mir Deutschland zum Schluß aufgehoben«, nickte Herr Kuka. »Dort habe ich die dritte und wichtigste Lektion gelernt.«

Herr Kuka sah mich wieder mißtrauisch an: »Was bist du eigentlich für ein Mensch, Waldemar? Weißt du, ich sehe dich öfter, wie du im Lift fährst oder die Zeitung für deinen Vater holst, aber ansonsten weiß ich nichts über dich. Bist du einer von diesen Patrioten, die vor dem Frühstück dreimal die Nationalfahne schwenken müssen, oder kannst du hin und wieder auch die Wahrheit vertragen?«

»Ich habe irgendwo gelesen, daß man erst ab seinem dreißigsten Lebensjahr zu einem Patrioten wird. Es sei denn, man heiratet vorher und kriegt Kinder.«

»Und du hast noch keine Kinder, was?«

»Ich habe nicht einmal eine Frau.«

»Dann hör jetzt mal gut zu, denn was du jetzt erfährst, steht weder in einem Reiseführer geschrieben noch sonstwo. Das muß erst geschrieben werden. Bevor unser Elektriker den Kommunismus kurzgeschlossen hat, waren die Deutschen sehr gut zu uns. Vielleicht hatten sie noch Gewissensbisse wegen des Zweiten Weltkriegs, ich weiß es nicht. Jedenfalls griffen sie dir gleich unter die Arme, wenn sie hörten, daß du aus Polen kommst. Das war im ganzen Westen so. Aber dann kam die Wende, und plötzlich wurden die Dörfler aus ganz Polen über Nacht Europäer. Sie fuhren hinüber und begannen zu klauen, was nur ging. Die Westler kamen mit dem Schauen nicht nach, und die Deutschen führten sogar ein Visum ein, weil sie sonst ihren Mercedes auf die Liste der vom Aussterben bedrohten Arten hätten setzen müssen. Von da an wußte im Westen jeder, daß wir alles sind, nur keine Europäer. Deshalb darfst du niemals zugeben, woher du wirklich kommst. Sogar wenn sie dich foltern, sag, du bist aus England oder meinetwegen China. Beim Wort Polen kannst du gleich wieder nach Hause gehen. Das ist die dritte Lektion.«

Herr Kuka verstummte und betrachtete melancholisch sein Gebiß in dem kleinen Spiegel auf dem Tisch.

»Ich nehme an, daß die ersten zwei Lektionen auch für Deutschland gelten?« fragte ich.

»Sie sind wie die Schwerkraft. Sie gelten sogar auf dem Mond.« Er riß sich von seinem Spiegelbild los. »Es gibt allerdings noch einen vierten Grund, um nicht nach Deutschland zu fahren. Die Deutschen haben neulich zwanzig Millionen frische Landsleute dazubekommen, die noch launischer sind als meine zweite Ehefrau. Jetzt sieht's dort aus wie in ›Jolas trauriger Kneipe‹. Also als Slawe würde ich mich da jetzt wirklich nicht aufdrängen.«

»Ich verstehe.«

Aber ich mußte trotzdem erst meine Enttäuschung verdauen, daß ich Berlin und den Stein, auf den Picasso gepinkelt hat, nicht sehen würde. Ich griff nach meinem Gläschen, aber sobald ich den Wodka roch, stellte ich es wieder zurück. Ich kann Wodka nicht ausstehen. Da kann ich so enttäuscht sein, wie ich will. Ich sagte: »Ich muß aber in ein deutschsprachiges Land. Wo soll ich hin? In die Schweiz?«

»Aus der Schweiz werde ich nicht schlau. Dort gibt es fast keine Ausländer, und trotzdem gelten dort alle drei Regeln mehr als sonstwo.«

»Was bleibt da noch übrig? Gar nichts mehr.«

»Doch. Noch nie was von Österreich gehört? In Wien sprechen sie zwar eine eigene Sprache, aber wenn du Deutsch kannst, ist das schon mal ein

Anfang. Die Frage ist, ob du nicht ein bißchen zu jung bist für so ein Riesenmuseum wie Wien? Dort leben nämlich zwei Millionen Museumswärter auf engstem Raum und reden dauernd über den Tod. Und die sind nicht so wie wir Slawen, die nur leeres Stroh dreschen. Die machen auch was. Gerade als ich dort war, haben sie einen Pensionisten gefunden, der sich den Kopf weggeschossen hatte. Er lag drei Jahre lang in der Wohnung herum, und obwohl er keinen Kopf hatte, mit dem er was lesen konnte, bekam er noch regelmäßig Kaufhauskataloge zugesandt. Nicht daß du dann meinetwegen auch Selbstmord begehst. Deine Alten würden mir keine Ruhe mehr lassen.«

»Ich weiß, daß Sie nicht viel von Reiseführern halten«, sagte ich. »Aber darin habe ich vom Stephansdom, Schönbrunn und Mozartkugeln gelesen.«

»Das ist ein Argument. Es gibt dort tatsächlich nicht nur Selbstmörder, sondern auch eine Menge Sehenswürdigkeiten und Köstlichkeiten. Von den Lipizzanern ganz zu schweigen.«

Herr Kuka versteckte sich wieder hinter seinem Gläschen, und seine Nase wurde lang wie eine Gurke. »Das ist ein österreichisches Spezialeisdessert. Du mußt es unbedingt bestellen, wenn du in einem Kaffeehaus bist. Da fällt mir ein, daß noch etwas für Wien spricht. Ich kenne zufällig jemanden, der ein ganz nettes und billiges Busunternehmen hat, das dich nach Wien bringen könnte. Es heißt Dream Travel.«

»*Dieses* Dream Travel?«

»Nein. Das, das du meinst, ist eine Riesenfirma in Deutschland. Mein Freund hat ihr nur den Namen geklaut.«

»So was geht?«

»Alles geht, wenn man es nur will. Weißt du, wie er das gemacht hat? Er saß gerade beim Zahnarzt und suchte in den Illustrierten nach der Mai-›Playboy‹-Nummer. Aber wegen der Zahnschmerzen griff er daneben und hielt plötzlich einen Neckermann-Katalog in der Hand. Statt der splitternackten Samantha Fox, die auf einer riesigen Banane ritt, sah er einen zweistöckigen Luxusbus mit der Aufschrift ›Dream Travel‹. Der Rest war nur noch eine Frage von einem Liter Ölfarbe.«

Ich dachte nach. Warum sollte ich eigentlich nicht nach Wien fahren? Schließlich war Westen Westen. Außerdem hatte ich keine große Wahl. In Deutschland sollte ich mich als Slawe nicht aufdrängen, und in der Schweiz war man, noch bevor ich die Grenze überschritten hatte, gegen mich feindlich eingestellt. Und Herrn Kukas billige Reisemöglichkeit war auch nicht zu verachten. Schließlich war ich kein Millionärssohn. Ich fragte: »Gesetzt den Fall, ich fahre wirklich nach Wien. Wüßten Sie auch ein Hotel?«

»Wieviel willst du ausgeben?«

»Nicht viel. Am liebsten gar nichts.«

»Hotel Vier Jahreszeiten.«

»Und eine Arbeit? Ich wollte ein bißchen dazuverdienen.«

»Da mußt du dir selber helfen. Es gibt dort Arbeit wie Muscheln am Meer. An der Grenze darfst du aber dem Zöllner ja nicht sagen, daß du arbeiten willst. Und wenn er dich anlächelt, lächle ja nicht zurück. Das ist ein Grund für eine Leibesvisitation. Sag ruhig ein paarmal jawohl. Alle Uniformidioten mögen das. Und wenn du zum ersten Mal in Wien einfährst, wundere dich nicht, daß alle Neonreklamen eingeschaltet sind. Das ist im ganzen Westen normal. Wundere dich auch nicht, daß die Endhaltestelle an der polnischen Kirche ist. Wobei mir einfällt, daß du mir einen kleinen Gefallen tun und einem Freund in Wien von mir etwas ausrichten könntest.«

»Gerne. Nur, wie finde ich ihn unter diesen zwei Millionen Museumswärtern?«

»Er ist der Pfarrer an der polnischen Kirche.«

»Sie sind mit einem Pfarrer befreundet?«

»In der Not frißt der Teufel sogar Fliegen. Also, wenn du ihn siehst, richte ihm folgendes aus: ›Das Päckchen ist längst angekommen.‹ Merkst du dir das?«

»Spielend. Überhaupt kein Problem.«

»Dann habe ich dir wohl alles gesagt, was ich weiß. Wenn du zurückkommst, erzählst du mir alles.«

»Selbstverständlich.«

Herr Kuka zeigte melancholisch auf die halbleere Flasche. »Ich halte hier inzwischen die Stellung. Also wenn du nichts mehr von mir brauchst, kannst du schon deine Koffer packen gehen. Ich bin ein bißchen müde.«

Ich stand auf und bedankte mich: »Ich weiß, was die Leute über Sie erzählen. Und sie irren sich alle. Wenn ich wieder da bin, werde ich nicht nur alles erzählen, ich bringe sicher eine neue Flasche mit.«

»Anders lasse ich dich sowieso nicht herein.« Herr Kuka zeigte mit einer verlegenen Geste in Richtung Küche. »Du findest schon allein hinaus. Dein Kumpel Kuka lebt nicht gerade in einem Palast, was?«

Ich versuchte ihm zum Abschied die Hand zu geben, aber er hielt offenbar nicht viel davon, denn er versteckte die Hände augenblicklich unter dem Tisch. Ich sagte nur »auf Wiedersehen« und marschierte zur Tür.

Aber als ich nach der Klinke griff, rief er plötzlich: »Warte mal! Jetzt hätte ich doch glatt das Wichtigste vergessen.«

Er kämpfte sich hinter seinem Tisch hervor und kam auf mich zu. »Streck die Hand aus«, bat er.

Ich führte seine Bitte aus, und er legte mir in die offene Hand einen silbernen Metallgegenstand.

»Das ist ein Benzinfeuerzeug«, sagte er. »Es ist kaputt, aber als Glücksbringer reicht es. Die Lektion Nummer vier lautet: Geh nie in den Westen, ohne dich vorher gegen Pech abzusichern.«

Ich wollte ablehnen, aber Herr Kuka war so entschlossen, es mir zu schenken, daß ich es gleich sein ließ.

»Danke schön«, sagte ich. Ich brachte einfach nicht mehr heraus als dieses lächerliche »Danke schön«. Aber ich war so weggetreten, daß der bettelarme Herr Kuka mir etwas schenkte, daß mir nichts anderes einfiel. Ich steckte das Feuerzeug ein und verließ seine Wohnung, ohne zu ahnen, welche schweren Folgen seine Empfehlungen noch haben würden.

2

Zwei Tage später fand ich mich an einem lauen Juniabend auf dem Busbahnhof ein. Um Herrn Kukas Dream-Travel-Bus zu finden, mußte ich das ganze Bahnhofsgelände durchkämmen. Dabei hätte ich fast einen Schlaganfall bekommen, weil mein Rucksack wegen der dreißig Thunfischkonserven, von denen ich mich in Wien zu ernähren vorhatte, eine Tonne wog und ich nun mal nicht zu den Leuten gehöre, die große Gewichte heben.

Ich fand den Bus ausgerechnet vor einem Coca-Cola-Plakat stehen, und schon auf den ersten Blick war klar, daß Herr Kuka mir ein paar Dinge verschwiegen hatte. Der Bus ähnelte einem der Länge nach umgestürzten Kühlschrank, dem man auf die schnelle vier Räder anmontiert hatte. Die Karosserie war an mehreren Stellen verbeult und hatte hinten eine merkwürdige Delle, in die genau ein menschlicher Kopf gepaßt hätte. Um sicherzugehen, daß ich richtig war, ging ich einmal um den Bus herum und entdeckte auf der Seite unter einer dicken Schmutzschicht die Aufschrift -RE-M ---VEL.

Es war genauso ein Kinderspiel, draufzukommen, was das hieß, wie es ein Kinderspiel war, am Bahnhofseingang die Neonschrift -ARSCHAU-- B--BA---OF als

WARSCHAUER BUSBAHNHOF zu entziffern. Statistisch gesehen sind wir Slawen die geübtesten Kreuzworträtsellöser in Europa.

Ich wankte die Stufen hinauf und betrat den Bus. Obwohl man es ihm von außen nicht ansah, war der Bus voll mit Menschen, was wohl bedeutete, daß ich wieder mal letzter war. Ich ging zum Fahrer, einem vierzigjährigen glatzköpfigen Mann, der sich gerade vor dem Innenspiegel mit einer Pinzette die Haare aus der Nase zupfte, und sprach ihn an: »Verzeihung. Ich hätte gerne eine Fahrkarte nach Wien.«

»Achtzig Schilling«, murmelte er, ohne sich vom Innenspiegel zu lösen. Ich war erstaunt, daß man bereits hier mit Schillingen bezahlen mußte, denn schließlich waren wir noch in der Heimat. Aber wahrscheinlich war es so üblich. Ich holte mein Geld hervor und blätterte ihm die Schillinge hin.

»Und was kostet es mit Rückfahrkarte? Etwa das Doppelte?«

»Sieht aus, als hätten wir heute Einstein mit an Bord.«

Er zog ein prächtiges Exemplar aus der Nase und hielt es gegen das Licht.

»Wo soll ich es hinlegen?« fragte ich.

»Irgendwohin.«

Ich legte es neben das Lenkrad. Ich wollte ihn noch ausfragen, wann wir in Wien ankommen und so, aber er gehörte eindeutig zu den Leuten, die nicht bei der Schönheitspflege gestört werden wollen.

Ich drehte mich um und ging nach hinten, um dort vielleicht noch einen freien Platz zu ergattern. Ich kämpfte mich unterwegs über eine Menge Reisetaschen hinweg, die den Gang verstellten. Ich paßte dabei höllisch auf, daß ich nirgendwo draufstieg, denn wir Slawen sind ziemlich sensibel, was unser Privateigentum angeht. Und die Passagiere in diesem Bus sahen noch sensibler aus als der polnische Durchschnitt. Insbesondere ein paar Männer in grauen Schafwollpullis, die entlang des Ganges saßen und ziemlich gut gebaut waren. Ein paar von ihnen grinsten mich freundlich an, weil ich so vorsichtig mit ihrem Gepäck umging, und dabei bemerkte ich, daß ein paar von ihnen genauso wie Herr Kuka vorne keinen Zahn mehr hatten. Sie sahen aber nicht so aus, als hätten sie ihn beim Truthähnestapeln verloren.

Als ich am Ende des Busses ankam, stellte sich heraus, daß Herrn Kukas Feuerzeug wirklich Glück brachte.

Ich hatte einen freien Platz erwischt neben einer Frau, die an ihren Nägeln feilte. Sie war so darin vertieft, daß sie gar nicht zu mir aufsah, als ich mich neben sie setzte. Ich wollte ihr guten Tag oder etwas in der Art sagen, aber aus irgendeinem Grund brachte ich kein Wort über die Lippen.

Ich habe für Frauen unglaublich viel übrig und so. Aber ich bin sehr zurückhaltend, wenn sie gerade mit etwas beschäftigt sind. Außerdem hatte sie eine riesige blonde Haarsträhne, die ihr dauernd ins Gesicht fiel, so daß ich nicht wußte, wie alt sie war. Wenn ich einfach so eine Fünfzigjährige angesprochen hätte, würde sie wahrscheinlich gleich wissen wollen, warum ich allein in so einem Bus reise, und mir eine Menge anderer schwer beantwortbarer Fragen stellen.

Nachdem ich es mir bequem gemacht hatte, sah ich mich ein bißchen unter meinen Mitreisenden um. Die meisten Passagiere waren älter als ich. Offen gestanden war ich der jüngste von allen. Aber was mich verblüffte, war, daß außer mir niemand wie ein Tourist aussah. Die meisten steckten in Jeans und dicken Pullis, was bei der Hitze ziemlich ungewöhnlich war. Die Männer, an denen ich vorbeigegangen war, begannen eine Zweiliter-Coca-Cola-Flasche herumgehen zu lassen. Nachdem einer einen Schluck daraus genommen hatte, reichte er sie über die Sitzlehne an einen anderen weiter. Es war bestimmt keine Kohlensäure darin, denn sie murmelten dabei Dinge wie: »da gucken meine Bakterien jetzt aus der Wäsche« oder so ähnlich.

Unter diesen Männern war einer mit einer roten Mütze, auf der »Toyota« stand. Die übrigen wandten sich immer mit großem Respekt an ihn, wenn sie ihm einen Schluck anboten: »Probier mal, Arnold«, sagten sie. »Bis zur Grenze hast du wieder einen Atem wie eine Nonne.«

Aber der Mann, der wirklich ein bißchen Arnold Schwarzenegger ähnelte, schüttelte nur schweigend den Kopf. Hin und wieder sah er sich um, als drohte ihm eine rätselhafte Gefahr, von der nur er etwas wußte. Er war überhaupt sehr wachsam, denn als ich versuchte, die Taschen zu zählen, die neben seinem Sitz standen, drehte er sich plötzlich zu mir um und murmelte: »Paß auf, sonst kannst du gleich deine Zähne zählen.«

Ich errötete und drehte mich zum Fenster. Wenn man als halbe Portion auf die Welt gekommen ist, besitzt man mehr Diplomatie als das amerikanische Außenministerium. Aber spätestens von da an wußte ich, daß Herr Kuka mir wirklich einiges verschwiegen hatte.

Gleich danach riß sich der Fahrer vom Innenspiegel los und legte die Pinzette in ein kleines schwarzes Futteral. Aus demselben Futteral holte er den Busschlüssel hervor und steckte ihn in das Zündschloß.

Es hörte sich im ersten Moment an, als hätte er eine ganze Fabrik angeworfen. Dann legte er den ersten Gang ein und kurvte langsam vom Bahnhofsgelände herunter, wobei er vermutlich alle Leute im Umkreis von einem Kilometer aufweckte. Aber als wir eine halbe Stunde später auf die Landstraße kamen, wurde der Motor überraschend leise, und die Straßenschilder begannen diese ulkig klingenden Ortschaften anzukündigen, von denen es in unserem Land nur so wimmelt.

Langsam atmete ich auf. Ich war heilfroh, daß meine Eltern mich nicht zum Bahnhof begleitet hatten. Ein Blick auf diesen fahrenden Kühlschrank hätte genügt, um meine Reise schon am Bahnhof zu beenden.

Meine Eltern sind normalerweise die harmlosesten Menschen auf der ganzen Welt. Mein Vater sitzt jeden Abend in seinem Rattanstuhl, liest Zeitung, und meine Mutter rudert daneben mit den Stricknadeln. So treiben sie schon seit Jahren durch ihre Ehe und tun niemandem was zuleide. Aber als ich ihnen verkündete, daß ich alleine nach Wien fahren wolle, legte mein Vater die Zeitung beiseite, und meine Mutter erstarrte mitten in ihrem Rosenmuster. Seitdem war bis zu meiner Abfahrt kein Tag vergangen, wo sie mich nicht davon abbringen wollten.

Mein Vater traf mich immer an der schwächsten Stelle. »Es geht nicht darum, daß wir uns um dich Sorgen machen«, sagte er, »sondern daß du dort finanziell kaum eine Woche überstehst. Für dasselbe Geld könntest du bei uns zwei Wochen wie ein Fürst leben.«

»Sobald mir das Geld ausgeht«, antwortete ich, »werde ich mir eine Arbeit suchen und sparen. Das habe ich mir fest vorgenommen.«

Daraufhin legte sich mein Vater demonstrativ die Hand ans Ohr, als hätte er sich verhört: »Wie bitte? Als ich dir zu Weihnachten geraten habe, einen Bausparvertrag anzulegen, mußtest du erst im Wörterbuch nachschlagen, was das heißt. Und gearbeitet hast du, soviel ich weiß, nur einmal im Leben.«

Spätestens in diesem Moment schaltete sich meine Mutter ein und brachte praktischere Einwände vor. »Hast du dir überhaupt schon überlegt, wo du schlafen willst? Du kannst doch nicht einfach so ohne ein Reisebüro, das dir ein Bett garantiert, in ein fremdes Land fahren.«

»Herr Kuka hat mir bereits ein Hotel empfohlen. Es hat den Namen ›Vier Jahreszeiten‹. Es ist sicher nicht sehr luxuriös, aber bestimmt besser als die meisten unserer Hotels.«

Mein Vater faltete geräuschvoll die Zeitung zusammen und sah meine Mutter an: »Ich wußte, daß er nicht selber auf diese Idee kommen konnte. Dieser Alkoholiker hat ihn dazu überredet. Was hat er dir noch empfohlen?«

»Eine billige Reisemöglichkeit und ein paar wichtige Tips, wie ich mich im Westen zu verhalten habe. Und zum Schluß hat er mir sogar einen Glücksbringer geschenkt.«

»Ich glaube, ich muß mit ihm ein ernstes Wort reden«, sagte Vater.

Und meine Mutter ergänzte: »Herr Kuka hat in seinem ganzen Leben kein einziges Mal die Wahrheit gesagt. Seine zweite Frau erfuhr erst nach drei Jahren, daß er noch nicht von der ersten geschieden ist.«

Mein Vater, für den das Gespräch in nebensächliche Regionen abglitt, kam wieder zur Sache: »Sogar wenn du eine Arbeit finden solltest und das Hotel Vier Jahreszeiten tatsächlich existiert, kann noch immer viel passieren. Das Leben im Westen besteht nicht nur aus Eisessen und Karussellfahren.«

»Ich esse selten Eis, und Karussell gefahren bin ich das letzte Mal vor zehn Jahren.«

»Du weißt, wie Vater es meint«, sagte Mutter. »Wir verstehen einfach nicht, warum deine erste Reise gleich Tausende von Kilometern von zu Hause weg sein muß, wenn du hier irgendwo im Land auch einen schönen Urlaub verbringen könntest.«

»Ferien. Ich habe Ferien und keinen Urlaub.« Aus irgendeinem Grund kann ich das Wort Urlaub nicht ausstehen. »Genauso wie Wien nicht mal siebenhundert Kilometer entfernt ist.«

»Dreh mir bitte nicht das Wort im Mund um, Junge. Du weißt, was ich meine. Warum fährst du nicht zuerst mal nach Danzig oder Krakau oder mit deinen Freunden in eines dieser Lager?«

»Alle meine Freunde sind dieses Jahr nach Schweden und Deutschland gefahren. Worauf soll ich eurer Meinung nach warten? Ehe man sich's versieht, sitzt man schon im Schaukelstuhl und strickt Schals, oder schlimmer noch, man wacht eines Tages auf und ist tot –«

Das war ganz grob von mir, so etwas zu sagen. Aber meine Eltern waren viel zu bedrückt, um das zu merken.

Und so ging das jeden Tag. Am Ende klammerte sich meine Mutter an ihre Stricknadeln, und mein Vater brütete über der Zeitung. Als sie aber begriffen hatten, daß mich nichts mehr umstimmen konnte, taten sie etwas, was mir regelrecht die Kehle zuschnürte.

Am Vorabend meiner Abreise kam mein Vater ins Zimmer und legte einen Umschlag auf mein Bett. Es waren tausend Schilling für die ersten Tage in Wien. Es war sein halbes Monatsgehalt. Und obwohl er kein Anhänger dieser Vater-Sohn-Gesten war, legte er die Hand auf meine Schulter und sagte: »Wenn du drüben bist, schick deiner Mutter mal eine Ansichtskarte mit dem Stephansdom darauf. Das wird sie ein bißchen aufheitern.«

Dann stand er da und sah nur so komisch auf den Fußboden, als hätte er etwas verloren.

Ich sah wieder aus dem Fenster des Busses, wie das Land an uns vorbeiflitzte. Häuser wurden größer, blieben für einen Moment stehen und verschwanden wieder. Oben leuchteten bereits die Sterne, und von den Wäldern strömte der warme Geruch von Harz in unseren Bus hinein. So riecht kein anderer Wald auf der Welt. Plötzlich flatterte genau an meine Fensterscheibe ein Nachtfalter. Er hatte sich in einer Fensterritze verfangen und war auf der Stelle tot. Aber seine Flügel flatterten im Fahrtwind, als wäre er noch am Leben. Plötzlich war ich merkwürdig glücklich. Ab jetzt trug ich für alles die Verantwortung.

3

Meine Abenteuer begannen schneller, als ich dachte. Ich brauchte dafür gar nicht erst in Wien anzukommen. Gegen neun Uhr morgens, als unser Bus nur noch wenige Kilometer von der österreichischen Grenze entfernt war, wachte ich aus einem Dämmerschlaf auf und bemerkte sofort, daß der Sitz, wo Arnold gesessen hatte, leer war. Ich entdeckte ihn am Ende des Busses, wie er mit etwas Merkwürdigem beschäftigt war. Er kniete im Mittelgang und schraubte ganz leise eine Bodenplatte des Busses auf. Er schob sie vorsichtig zur Seite und begann schnell seine Reisetaschen auszuleeren. Dabei stellte es sich heraus, daß er den Jahresbedarf einer Kleinstadt an Nikotin und Wodka beförderte. Er legte die Zigarettenstangen in die Luke und bettete vorsichtig den Wodka darauf. Da alle anderen noch schliefen, merkte außer mir und dem Fahrer niemand etwas davon. Dieser beobachtete alles im Rückspiegel und drosselte das Fahrttempo, damit Arnold alles rechtzeitig verstecken konnte. Dann schraubte Arnold die Platte wieder an und kehrte auf seinen Sitz zurück. Das Ganze hatte nicht länger als fünf Minuten gedauert. Ein paar Minuten später begannen die anderen Männer aufzuwachen, und alles wiederholte sich, wenn auch auf andere Weise. Nachdem sie ihre Zigaretten ausgepackt hatten, versteckten sie sie unter den Sitzen oder über der Gepäckablage in einer Art Rinne.

Jeder im Bus außer mir hatte irgend etwas zu verstecken. Sogar meine Nachbarin wurde von der Schmuggelorgie angesteckt. Sie holte aus ihrem Damentäschchen eine Kim-Stange und schob sie sich unter den Hintern. Sie sah darauf aus wie eine brütende Henne auf einem Ei. Aber offenbar hielt sie das für den sichersten Platz auf der Welt. Als sie meinen Blick auffing, lief sie rot an und zuckte die Achseln: »Ich hab nur zwei Stangen. Aber wozu was riskieren?«

Bei dieser Gelegenheit sah ich zum ersten Mal ihr Gesicht im Tageslicht. Sie war nur ein paar Jahre älter als ich und keine große Schönheit. Aber sie hatte grüne Augen, und es gibt nichts Umwerfenderes bei Frauen als das. Ich wollte sie ansprechen, aber als ich sie auf dieser Kim-Stange sitzen sah, beschloß ich, es für später aufzuheben.

Zehn Minuten darauf, als wir die österreichische Grenze erreichten und vor einer rotweißroten Schranke hielten, deutete nichts darauf hin, was sich vor kurzem im Bus abgespielt hatte. Die Passagiere saßen wieder friedlich auf ihren Sitzen und sahen durch die Fenster. Arnold studierte mit unergründlichem Gesichtsausdruck die »Toyota«-Aufschrift auf seiner Mütze, und seine Kameraden gaben sich einer eigentümlichen Beschäftigung hin. Sie zählten die Vögel, die nach Österreich flogen. Wenn ein Vogel vorbeiflog, riefen alle im Chor »fünfzehn! sechzehn! siebzehn!« und so weiter. Insgesamt kamen sie auf dreiunddreißig Vögel, die nach Österreich geflogen waren. Kein einziger kam zurück.

Ich interessierte mich nur für die Landschaft hinter dem Zöllnerhaus. Es war nur ein unbebauter Acker mit ein paar Krähen darauf. Und dennoch unterschied er sich ganz erheblich von allen Äckern, die ich bis jetzt gesehen hatte. Es war das erste Stück Westen, das ich mit eigenen Augen sah, und ich machte einen ersten Vermerk in mein unsichtbares Reisetagebuch: »Um elf Uhr dreißig MEZ erblickte ich zum erstenmal den Westen. Es ist zwar nicht der Stephansdom, nicht einmal ein Haus, sondern nur ein einfacher Acker, der sich in nichts von unserem unterscheidet. Und dennoch ist er irgendwie anders. Ich weiß nicht, worin der Unterschied liegt. Aber ich weiß, daß ich wegen dieses Unterschieds hergekommen bin.«

In diesem Augenblick ging die Tür im Zöllnerhaus auf, und drei Zöllner steuerten auf unseren Bus zu. Sie hatten dunkelgrüne Uniformen an, und Taschen hingen ihnen um den Hals. Der letzte von ihnen hatte einen Schäferhund an der Leine. Als der Hund unseren Bus erblickte, begann er aus Leibeskräften zu ziehen. Dann ging zischend die Tür zu unserem Bus auf, und die drei Zöllner stiegen so langsam ein, als hätten sie vor, einen ganzen Monat bei uns zu verbringen. An ihren Gürteln hingen diskret Pistolen und Handschellen. Der Schäferhund war zwar als einziger unbewaffnet, dafür aber bestimmt so dressiert, daß er bei jedem, der nicht eine westliche Staatsbürgerschaft hatte, gleich die Zähne fletschte. Angesichts dieser Übermacht schien es nur eine Frage der Zeit zu sein, bis alle Zigarettenstangen und Wodkaflaschen aus ihren notdürftigen Verstecken in die Hände der Zöllner wandern würden. Aber da ahnte ich noch nicht, welche Fähigkeiten in meinen Mitreisenden schlummerten.

Zwei Zöllner gingen nach hinten, der dritte mit dem Hund blieb am Eingang stehen und beobachtete wachsam das Geschehen. Die Zöllner verlangten zuerst die Pässe und musterten dann deren Inhaber. Da alle Inhaber Jeans anhatten und vor den Zöllnern immer demütig die Augen senkten, verlief die Paßkontrolle ohne Zwischenfälle. Dafür war die Zollkontrolle um so abwechslungsreicher. Jeder Passagier mußte zuerst die Tasche aufmachen und sie dem Zöllner überlassen. Dabei stellte es sich fast immer heraus, daß in der Tasche eine Stange Zigaretten und eine Wodkaflasche zuviel waren. Nach den ersten paar Fällen dachte ich, daß es Zufall war, aber dann begriff ich, daß es sich um eine Ablenkungsmaßnahme handelte, die den wahren Schatz unter dem Sitz schützen sollte. In den ersten zehn Minuten beschlagnahmten die Zöllner über dreißig Marlboro-Stangen und Wodkaflaschen und sahen freudig überrascht aus.

Wenn die erste Ablenkungsmaßnahme nicht griff und der Zöllner noch immer neugierig war, erfolgte Stufe zwei. Plötzlich tauchte wie aus dem Nichts eine verdächtige Tasche auf, die vor Zigarettenstangen und Wodkaflaschen nur so strotzte. Das reichte dann vollkommen aus, um den Zöllner abzulenken. Er stürzte sich auf die Tasche und suchte dann nach dem Besitzer. Aber die Tasche hatte keinen. Und so knöpfte sich der Zöllner den vor, der der Tasche am nächsten saß. Aber die Verdächtigen verstanden weder Deutsch noch sonst eine Sprache auf dieser Welt. Einmal griff sich sogar ein Verdächtiger an die Brust, wobei nicht ganz klar war, ob er damit seine Unschuld beteuerte oder auf eine ernsthafte Herzerkrankung hinwies, die bei jeder weiteren Aufregung lebensgefährliche Folgen haben könnte. Der Zöllner sah ihn mit einem schiefen Lächeln an. Aber da ein Grenzübergang für einen Herzinfarkt mindestens genauso gut geeignet ist wie jeder andere Ort auf der Welt und es unter den Einreiseparagraphen keinen gibt, der Simulanten die Einreise nach Österreich verweigert, mußte er den Verdächtigen ziehen lassen. Ich sah diesem Zirkus mit offenem Mund zu, bis ich schließlich selber an die Reihe kam.

Der Zöllner betrachtete mich erst mal ausgiebig, weil ich als einziger im Bus keine Jeans und keinen Pulli anhatte. Außerdem kaute ich fieberhaft einen Kaugummi. Ich wußte nicht einmal, wann ich ihn in den Mund geschoben hatte. Wahrscheinlich als Arnold die Bodenluke aufgeschraubt und unseren Bus in eine fahrende Zigarettenstange verwandelt hatte.

Dann streckte er die Hand aus und sagte: »Passport.«

Ich überreichte ihm meinen Paß. Während er langsam darin blätterte, betete ich, daß er nicht zu lange auf der ersten Seite verweilen würde. Als ich bei der Paßbehörde das Formular ausgefüllt hatte, schrieb ich irrtümlich in die Rubrik Körpergröße 180 statt 170. Ich dachte, der Beamte würde das korrigieren, aber er schrieb einfach ab, was dort stand. Diese Amtsschimmel sind solche Automaten, daß sie auch geschrieben hätten, ich sei so groß wie der Eiffelturm, wenn ich es hingeschrieben hätte.

Glücklicherweise hatte der Zöllner ein anderes Problem. »Du hören mit dem Kaugummi auf«, sagte er. »Ich sonst dich nicht können identifizieren und du dableiben.«

»Selbstverständlich«, sagte ich. Herr Kuka hatte mir zwar geraten, jawohl zu sagen, aber »selbstverständlich« kam mir weniger unaufdringlich vor. Ich klebte mir den Kaugummi mit der Zunge an den Gaumen. Ein Kaugummi kann dort eine Ewigkeit kleben bleiben, ohne herunterzufallen. Das ist ein chemisches Phänomen. So wurde auch ich identifiziert.

Der Zöllner schloß den Paß, aber er gab ihn mir nicht zurück. Ich mußte ihn mir anscheinend irgendwie verdienen.

»Was du bringen nach Österreich mit?«

»Persönliches Gepäck und ein paar Lebensmittel.«

»Und nix Zigaretten? Kein Wodka?«

»Nein. Nichts.«

Irgendwie hatte ich von uns beiden die eindeutig bessere Aussprache.

»Gepäck aufmachen.«

Ich holte meinen Rucksack herunter und öffnete ihn ganz weit zum Zeichen, daß ich nichts zu verbergen hatte. Diese offenherzige Geste entmutigte ihn nicht im geringsten. Sein Arm tauchte bis zum Ellenbogen hinein. Ich hoffte, daß er mir nicht ins Handtuch oder die Zahnbürste greifen würde. Weiß Gott, wo er heute schon mit seiner Zöllnerhand überall hineingegriffen hatte.

Aber seine Hand fühlte sich in meinem Rucksack wie ein Fisch im Wasser. Sie umschiffte alle Gefahren und kam mit fünf Thunfischdosen zurück an die Oberfläche.

Er sah mich an. »Wieviel haben du davon da drinnen?«

»Fünfundzwanzig Stück«, log ich. Es waren dreißig.

Er begann wieder in meinem Paß zu blättern.

»Warum du zu Austria wollen?«

»Als Tourist.«

Er sah mich an, als hätte er etwas Schlechtes gegessen.

»Und ich glaube, du Schwarzarbeiter. Hände zeigen. Handfläche nach oben.«

Ich führte seine Bitte aus. Ich muß sagen, daß noch niemand in meinem Leben so intensiv meine Hände angesehen hatte. Ich wurde puterrot. Schließlich sah uns der halbe Bus dabei zu.

Der Zöllner sagte: »Runterlassen.«

Dann betrachtete er mich nachdenklich. Als ich die Augen senkte, erblühte auf seinen Lippen ein merkwürdiges Lächeln. Er warf den Paß neben die Thunfischdosen auf den Sitz und sagte: »Beim nächsten Mal du kein Tourist mehr, auf Wiedersehen.«

Dann ging er weiter, und ich hörte für ihn einfach auf zu existieren. Dabei hatte er eben noch so getan, als wäre ich der Mittelpunkt seines Lebens.

Inzwischen neigte sich die Kontrolle langsam dem Ende zu, und es sah nach einem glücklichen Remis aus. Die Zöllner hatten die Republik Österreich um dreiunddreißig Zigarettenstangen, zehn Wodkaflaschen und sieben Schafwollpullis reicher gemacht und die meisten Mitpassagiere ihre Verstecke durchgebracht.

Aber als die Zöllner schon auf dem Rückzug waren, passierte etwas, was man bestenfalls in dieser Sendung mit der »Versteckten Kamera« zu sehen bekommt. Der Schäferhund, der die ganze Zeit ruhig vorne gewartet hatte, bellte kurz auf und setzte sich in Bewegung. Er steuerte auf den hinteren Teil des Busses zu. Man brauchte kein Genie zu sein, um zu wissen, was passiert war. Er hatte soeben Arnolds Geheimluke gewittert. Augenblicklich wurde es mucksmäuschenstill im Bus. Denn ein herumschnüffelnder Zöllnerhund bedeutet nie etwas Gutes. Das stand auch in Arnolds Gesicht geschrieben. Er sah drein, als hätte ihm jemand eine Pistole an die Schläfe gehalten.

Plötzlich begann er seine Tasche zu durchwühlen und holte eine ellenlange Krakauerwurst hervor. Er sprang vom Sitz auf und hielt dem herankommenden Hund die Wurst hin. »Riech mal dran! Riech mal dran!« rief er aufgeregt.

Der Hund blieb stehen und knurrte ihn an. Jeder andere wäre in diesem Augenblick aus dem Fenster gesprungen, aber Arnold wich nicht von der Stelle.

»Na, riech doch mal dran, riech mal dran«, wiederholte er bettelnd.

Der Hund sah ihn mißtrauisch an. Dem ganzen Bus stockte der Atem. Denn so etwas hatten bis jetzt nicht einmal die erfahrensten Zöllner gesehen. Von den Passagieren ganz zu schweigen.

Der Schäferhund neigte den Kopf zur Seite, als wäre er auf einmal kurzsichtig geworden. Er bellte kurz, stemmte sich auf die Hinterbeine und sprang.

»Schimanski, Fuß!« schrie der Hundezöllner. Aber es war zu spät. Der Hund schnappte sich die Wurst, nahm sie Arnold aus der Hand und legte sie vor sich auf den Boden. Dann begann er sie mit der besonderen Konzentration, wie sie Tiere in diesen Naturfilmen haben, zu verzehren.

»O du Scheiße!« rief der Hundezöllner. Denn jeder weiß, daß, nachdem ein Hund etwas Geräuchertes gefressen hat, seine Witterung für Stunden nachläßt. Arnold wußte es und die Zöllner auch. Bloß Schimanski wußte es nicht. Ich hatte noch nie einen Hund gesehen, der so schnell etwas aufgefressen hätte.

Der Hundezöllner beugte sich über den Hund und redete auf ihn ein: »Bist wahnsinnig geworden? Bist wahnsinnig geworden?«

Aber der Hund rührte sich nicht mal von der Stelle.

Der Zöllner drehte sich zu seinen Kollegen um: »Den können wir vergessen. Der denkt die ganze Nacht nur noch an polnischen Schinken.«

»Bring ihn raus«, befahl der Zöllner, der mich kontrolliert hatte, und marschierte zu Arnold.

Er schnappte sich Arnolds Tasche und begann sie auszuleeren.

»Vor dem Hund kannst du was verstecken, aber wir sind nicht blöd!« rief er und holte nacheinander fünf Krakauerstangen heraus. Das besänftigte seinen Zorn einigermaßen. Trotzdem hörte er nicht auf, bis er die ganze Tasche ausgeleert hatte. Er ließ die Sachen auf den Sitz und auf den Boden fallen.

Am Ende fand er etwas, was ihm sehr gefiel. Einen Radiowecker. Er hielt ihn Arnold vors Gesicht.

»So eine alte Scheiße brauchen wir hier in Austria nicht. Paß mal auf, wozu das gut ist bei uns.«

Er drehte an den Reglern, bis auf dem Wecker die Zahlen 12.02 erschienen. Die Zeit stimmte auf die Minute.

»Das ist die Zeit, wo ich dich zum letzten Mal nach Austria lasse. Die ganze Bagage soll das wissen!«

Er sah sich streitlustig im Bus um. Dann ließ er den Wecker auf den Sitz fallen.

»Raus hier. Da stinkt's.«

Als sie ausgestiegen waren, bellte er den Fahrer an: »Weiterfahren!«

Das brauchte man ihm nicht zweimal zu sagen. Er warf den Motor an, und wenige Augenblicke später rollten wir langsam über die Grenze.

Erst als das Schild »Servus in Österreich« an uns vorbeiflog, begann sich die Situation zu entspannen. Die Leute fingen miteinander an zu flüstern, und Arnold begann seine Sachen aufzusammeln.

Eine der Batterien aus dem Wecker war unter meinen Sitz gerollt. Als Arnold sie aufhob, fing er meinen Blick auf. Statt mich anzufahren wie beim ersten Mal, lief er rot an und murmelte: »War wohl kein schöner Anblick, wie dieses Schwein mich in die Mangel genommen hat, was?«

Ich war verblüfft, daß dieser Bauernschrank sich vor so einer halben Portion wie mir rechtfertigte.

»Na ja, er war ganz schön wütend wegen dem Hund.«

»Dich hätten sie doch auch fast nicht hereingelassen, stimmt's?«

»Vielleicht. Aber das wäre mir egal gewesen.«

»Ach was, egal?« Er grinste und sah zu seinen Leuten hinüber: »Hey, werft mal die Flasche rüber!«

Die Coca-Cola-Flasche kam geflogen. Arnold setzte sich neben mich auf die Sitzlehne und sagte: »Wenn alles egal wäre, würden wir nicht in diesem Bus sitzen, und die Vögel würden mit dem Arsch voran fliegen, kapiert?«

Ich mußte sofort daran denken, wie Arnolds Leute die Vögel gezählt hatten, die nach Österreich geflogen waren und nicht mehr zurückkamen.

»Los«, sagte er, »du zuerst.«

Er hielt mir die Flasche hin. Ich kann Wodka nicht ausstehen, aber Männern wie Arnold widerspricht man nicht. Sie sind sehr sensibel in dieser Hinsicht.

»Trinken wir auf die Gesundheit oder einfach so?« wollte ich nur wissen.

»Habt ihr das gehört?« rief er wieder zu seinen Leuten hinüber. »Das Bürschchen braucht noch einen Grund zum Trinken. Der ist wohl zum ersten Mal hier.«

Die Männer schmunzelten mir zu, als wüßten sie sehr gut, was gerade in mir vorging.

»Ich schätze, wir haben was zu begießen«, sagte Arnold.

Er überlegte einen Moment und zeigte dann auf die Grenze, die hinter uns lag. »Wir trinken auf diesen Hund, der uns gerade nach Österreich hereingelassen hat.«

4

Herr Kuka hatte recht. Uns Ostler faszinieren Dinge, die nicht in den Reiseführern stehen. Als unser Bus zwei Stunden später in Wien einfuhr, stach mir als erstes die Sauberkeit ins Auge. Dabei bin ich kein Sauberkeitsfanatiker wie meine Mutter, die jedem neuen Besen einen menschlichen Namen gibt, aber auf der Straße lag nichts, nicht einmal ein zufällig fallen gelassenes Papiertaschentuch. Als wäre gerade vor einem Moment ein riesiger Staubsauger vorbeigefahren und hätte alles, was nicht niet- und nagelfest war, in sich aufgesaugt.

Als nächstes fielen mir die Bäume auf, die entlang der Straße wuchsen. Sie waren gerade wie Laternen, und um jeden Baum herum war im Asphalt fein säuberlich ein Quadrat ausgeschnitten, in dem Erde und Dünger lagen, damit sich der Baum fühlte, als sei er im Wald. Daß aber diese Bäume nie einen Wald gesehen hatten, merkte man allein an ihren Ästen. Sie standen im rechten Winkel vom Stamm, was so ungefähr jedem Naturgesetz widersprach. Dafür aber fügten sie sich ideal in die allgemeine Symmetrie der Häuser, Schilder und Litfaßsäulen.

Als wir ins Zentrum kamen, fiel mir ein, was mir Herr Kuka über Neonreklamen gesagt hatte. Sie waren wirklich alle an, und nirgendwo war auch nur ein Buchstabe ausgefallen.

Über der Konditorei stand KONDITOREI und über dem Supermarkt tatsächlich SUPERMARKT. Wo man hinsah, war alles in Ordnung. Das war etwas bedrückend, denn es bedeutete, daß uns die Westler sogar darin um zwanzig Jahre voraus waren. Aber ich tröstete mich damit, daß sie uns dafür im Kreuzworträtselraten nicht das Wasser reichen konnten.

Als der Bus in den Ring einfuhr, sah ich endlich die ersten Wiener. Sie machten einen entspannten und harmlosen Eindruck. Man konnte sie nur nicht richtig auseinanderhalten. Bei uns unterscheidet man einen Arbeiter von einem Bankdirektor auf den ersten Blick. Aber die Wiener sahen sich alle erstaunlich ähnlich. Sie steckten alle in ähnlichen modischen Sachen. Über allem hing eine eigentümliche Langsamkeit. Ich dachte bis jetzt, im Westen würde es nur so vor Leben beben. Wie in diesen Zeitrafferfilmen, wo Leute wie Ameisen über Zebrastreifen laufen, wo Flugzeuge starten und gleich wieder landen oder Blumen in Sekundenschnelle wachsen und welken. Aber hier bewegen sich die Leute so langsam, als legte man überhaupt keinen Wert darauf, wohin man ging, ja, als hätte man überhaupt kein Zuhause. Die Leute gingen nur, um in Bewegung zu bleiben. Auch die Autos krochen über den Asphalt. Dabei waren es lauter Mercedes und andere Wunderwerke, die dazu gebaut waren, mindestens zweihundert in der Stunde zu machen.

Diese unerklärliche Langsamkeit legte sich bald auch auf unseren Bus. Nach unserer zehnstündigen rasanten Fahrt kam es mir vor, als würden wir plötzlich auf der Stelle stehen.

An der ersten großen Kreuzung erblickte ich das erste westliche Kaufhaus. Es hatte über dem Eingang ein riesiges goldenes Thermometer, das wohl dazu diente, den Kunden zu zeigen, bei wieviel Grad Celsius sie ihre Schillinge loswurden. Darunter war ein breiter Eingang aus Glas, der von selbst auf- und zuging. Er erinnerte an einen monströsen Tresor, der zufriedene Kunden ein- und ausatmete.

Was mich an diesem Kaufhaus aber wirklich beeindruckte, war seine zehn Meter hohe Marmorfassade. In Wirklichkeit ist mir Marmor so egal wie die amerikanische Fahne auf dem Mond, aber zufällig weiß ich, was er kostet. Als mein Großvater im Sterben lag, wollte er unbedingt eine Grabplatte aus Marmor haben. Es ist immer das gleiche. Sobald bei uns jemand über dem Grab steht, will er Marmor haben. Dabei kosten zwei Meter Marmor ungefähr soviel wie ein Mittelklassewagen. Als mein Großvater starb, hatten sie die Wahl, seinen Wunsch nicht zu erfüllen oder die nächsten drei Jahre Müsli zu essen. Mein Großvater bekam eine Betonplatte. Wie alle in unserer Familie.

Ich war wirklich froh, daß er dieses Kaufhaus nicht sah. Es hätte für fünfzig Großväter gereicht. Dafür wünschte ich, daß meine Eltern es sehen könnten. Sie wären dann bestimmt nicht mehr so gegen meine Reise eingestellt. In einer Stadt, wo Kaufhausfassaden für einen ganzen Friedhof reichen, würde nicht einmal ich so schnell untergehen.

»Jetzt renken Sie sich bloß nicht den Hals aus«, sagte plötzlich jemand neben mir.

Es war meine Sitznachbarin. Seit der Grenze, wo ich sie auf ihrer Kim-Stange ertappt hatte, hatte sie kein Wort mehr mit mir gesprochen, aber jetzt wurde sie auf einmal gesprächig.

»Was Sie da machen, ist ziemlich peinlich«, sagte sie.

»Was mache ich denn da?« fragte ich, ohne vom Fenster wegzusehen. Ich war wirklich neugierig, was so peinlich am Fenstergucken war.

»Man merkt gleich, daß Sie das erste Mal im Westen sind.«

Ich drehte mich um, um zu fragen, wie sie mir das angemerkt hatte, wo ich die ganze Zeit mit dem Rücken zu ihr saß. Aber dann bemerkte ich, daß sich auf ihrer Wange das Sitzpolster abgedrückt hatte, und starrte sie nur an, weil sie mit diesem Abdruck teuflisch attraktiv aussah.

»Ich wette, Sie haben beim ersten Mal nicht anders geschaut«, sagte ich schließlich und drehte mich wieder zum Fenster.

»Ich fürchte, da würden Sie verlieren.«

Unser Bus blieb im Stau vor einer Reihe von Luxusboutiquen stehen. Ich bin kein Wirtschaftsfachmann, ich weiß gerade noch, was das Wort »galoppierende Inflation« heißt, aber sogar ich sah, daß einer von diesen kleinen Läden reichen würde, um bei uns ein Jahr lang eine Kleinstadt zu ernähren. Dabei waren sie allesamt nicht größer als ein Würstchenstand. Aus einer dieser Boutiquen kam gerade ein elegantes Paar heraus. Die Frau war braungebrannt und hatte ein schwarzes Kleid an. Ihr Begleiter trug eine Brille mit dünnem Rand und war unrasiert. Ich hatte noch nie einen Menschen in natura gesehen, der unrasiert so gut aussah. Sie sahen sich an und lächelten. Dann küßten sie sich wie in einer Szene aus »Casablanca«.

Meine Nachbarin beugte sich nach vorn. Dabei berührte sie kurz meine Schulter. Ich würde lügen, wenn ich das schrecklich unangenehm gefunden hätte.

»Hören Sie auf, die beiden so anzustarren«, sagte sie. »Das ist genau das, worauf sie warten. Was meinen Sie, wen Sie hier vor sich haben?«

»Woher soll ich das wissen? Sie sieht aus wie eine Operndiva und er wie ein Testpilot.«

Sie lächelte bitter. »Ihre Operndiva ist bestenfalls Sekretärin in einem Maklerbüro, und Ihr Testpilot fährt täglich mit dem Fahrrad in eine Hauptschule, wo er Turnlehrer ist.«

»Und Sie sind wohl Hellseherin?«

»Nein. Ich bin Putzfrau.«

»Aha. Schon verstanden.«

Sie geriet leicht in Rage: »Sie sind vom Verstehen so weit entfernt wie Ihre Operndiva vom Sopran. Ich sehe, ich muß Ihnen ein bißchen die Augen öffnen.«

Sie zeigte über meine Schulter auf ein Gebäude, das links vor uns auftauchte. Es war ein großes, gelb verputztes Mietshaus, über dem die Neonreklame einer Versicherung hing. Offenbar eignete es sich dazu, mir die Augen zu öffnen.

»Zufällig kenne ich mich in dem Haus ganz gut aus«, sagte sie. »Ich putze dort regelmäßig einmal in der Woche. In den oberen Stockwerken sind lauter

Büros, wo Leute in Ihrem Alter arbeiten. Sie sitzen vierzehn Stunden am Tag über den Computern. Ihre ganze Abwechslung besteht darin, dreimal am Tag auf die Toilette zu gehen, und das Essen holen sie aus einem Automaten, der auf dem Flur steht. Sie verzehren es über ihren Computertastaturen. Die Hälfte davon landet zwischen den Tasten, und sie merken nicht mal was davon. In ihren Armani-Sakkos tragen sie eine ganze Apotheke gegen Kopfschmerzen und Gastritis. Nach Büroschluß sehen sie wie Zombies aus. Aber glauben Sie, daß sich jemals einer deswegen beschwert hätte? Im Gegenteil. Je mehr Magenschmerzen sie haben, desto süßer lächeln sie. Und am Wochenende schnappen sie sich so eine Sekretärin und marschieren in eine Calvin-Klein-Boutique, um sich für die ganze Woche zu rächen. Und so ein Pärchen haben Sie gerade gesehen.«

»Und Sie sind nicht zufällig ein klein bißchen verbittert? Ich meine, weil Sie dort Putzfrau sind und so?«

Das war reichlich grob von mir, so etwas zu sagen. Eigentlich wollte ich sie nur ein bißchen necken. Aber es fiel doch nicht so aus, wie ich wollte.

»Sie werden es auch sein, wenn Sie hierbleiben«, sagte sie.

Sie sah aus dem Fenster und verdaute im stillen meine Grobheit. Ich kam mir wie ein fürchterlicher Trottel vor. Es ist immer dasselbe, ständig rutscht mir in Gegenwart von Frauen ein falsches Wort heraus. Dabei ist eine Frau der letzte Mensch auf der Welt, den ich beleidigen will.

Glücklicherweise kamen wir an der Staatsoper vorbei, dem einzigen Gebäude, das ich schon vorher von

Fotos kannte, und ich versuchte sie ein bißchen aufzuheitern.

»Wußten Sie eigentlich, daß die Kronleuchter in der Oper nicht aus Glas sein dürfen?« fragte ich. »Wenn nämlich so ein Starsopran das hohe C singt, zerspringen sie, und die Splitter fallen ins Publikum. Es gibt deshalb jedes Jahr weltweit über dreißig Schwerverletzte. Letztes Jahr wurde das Kleid der japanischen Botschaftergattin von so einem herabfallenden Kristallzapfen aufgeschlitzt, und sie stand nur noch in der Unterwäsche da, auf der kämpfende Samurais abgebildet waren.«

»Das haben Sie jetzt erfunden, oder?«

»Ich schwöre, es war so.«

Sie schmunzelte wie zu jemandem, dem man nichts glauben kann. Aber sie schien wieder halbwegs versöhnt zu sein.

»Keine Arbeit ist eine Schande«, sagte sie. »Sie werden das noch merken.«

»Und ist es schwer, eine zu kriegen?« fragte ich, um bei der Gelegenheit ein paar Informationen einzuholen. Mit Vaters Tausender stand ich nicht gerade wie ein Millionärssohn da.

»Sie können froh sein, wenn Sie was als Zettelverteiler finden.«

»Und ich habe gehört, es gibt hier Arbeit wie Muscheln am Meer.«

»Ach ja?« Sie zeigte auf die Straße. »Zeigen Sie mir das Meer, dann zeige ich Ihnen die Muscheln. Eines aber sollten Sie wissen. Wenn Sie eines Tages soweit sind, daß Sie auf den Arbeiterstrich müssen, fahren Sie lieber gleich nach Hause.«

Plötzlich unterbrach uns eine Stimme aus dem Lautsprecher. Es war der Fahrer. Er hatte aus dem Handschuhfach ein Mikrophon hervorgezogen und sprach hinein.

»Meine verehrten Fahrgäste«, sagte er. »Da wir bald da sind, möchte ich mich im Namen der Firma Dream Travel verabschieden und Ihnen einen angenehmen Aufenthalt in Wien wünschen. Und denkt daran: Wenn Dream Travel es geschafft hat, euch herzubringen, ist das Zurückbringen ein Kinderspiel.«

Arnold und seine Männer röhrten wie eine Herde von Elchen.

»Ich wußte gar nicht, daß unser Fahrer so humorvoll ist«, staunte ich.

»Warten Sie ab. Er ist noch nicht fertig«, flüsterte meine Vertraute.

»Ein paar von euch werden sicher das Neueste noch nicht gehört haben«, fuhr unser Fahrer fort. »Die Tschuschen sind letzte Woche in der Stadt aufgetaucht. Die Preise pro Stange sind seitdem um einen Dreißiger gesunken. Aber ab hundert Stangen können wir über den alten Preis reden.«

»Wer sind die Tschuschen?« fragte ich leise.

»Tschuschen sind Jugoslawen. Wir sind Polacken. Die Türken Kanaken und Deutsche Piefkes. Alles hat hier einen Namen. Schauen Sie mal...« Sie zeigte auf ein großes Gebäude, an dem wir gerade vorbeifuhren. Eine Statue mit einer Waage in der Hand stand davor. »... das ist das Parlament. Hier beschließen sie übrigens alle möglichen Gesetze gegen Tschuschen, Polacken und gegen sich selbst.«

Der Fahrer unterbrach uns wieder: »Es gibt aber auch gute Nachrichten. Der Literpreis ist nach oben gegangen. Ich zahle siebzig Schilling pro Flasche. Die Anzahl ist begrenzt. Also gleich nachher bei mir melden.«

Arnolds Männer lauschten diesen Worten wie einem Evangelium. Die meisten zückten gleich einen Taschenrechner und murmelten untereinander Dinge wie: »Es hätte schlimmer sein können« oder: »Beim nächstenmal scheiße ich drauf.«

So ging das den ganzen Ring lang. Der Fahrer gab was durch, und dann glühten die Taschenrechner. Bei der Hofburg erfuhren alle den Schokoladenpreis, beim Burgtheater den Krakauerpreis und beim Rathaus den neuesten Dollarkurs. Keiner von Arnolds Leuten hatte Zeit, aus dem Fenster zu sehen.

Meine Nachbarin holte ein Päckchen Zigaretten aus der Tasche.

»Ich muß mal eine rauchen. Haben Sie Feuer?«

»Leider nein. Ich bin Nichtraucher.«

Sie stieß einen Seufzer aus.

»Wo sind die Männer aus dem neunzehnten Jahrhundert?« fragte sie und sah sich um. Aber sie erblickte keinen Mann aus dem neunzehnten Jahrhundert und kramte aus ihrer Tasche ein Feuerzeug heraus. Es sah aus wie ein Miniaturraumschiff. Es war ganz golden. Sie reichte es mir.

»Los, seien Sie ein Gentleman. Geben Sie einer einsamen Kettenraucherin Feuer.«

Ich gab ihr Feuer. Die Flamme war sehr spärlich. Irgendwas war daran kaputt.

Sie streckte wieder die Hand aus. »Und jetzt geben Sie es zurück. Das ist ein Geschenk.«

»Aha. Von wem?«

»Von meinem Freund. Er lebt hier schon eine ganze Weile und kennt sich gut aus. Er würde Ihnen sofort die Augen öffnen. Wenn Sie wollen, kann ich Sie mit ihm bekannt machen. Er holt mich ab.«

»Vielen Dank. Muß nicht sein.«

Ich gab ihr das Feuerzeug zurück, und sie blies im Gegenzug den Rauch in meine Richtung. Dann fächerte sie ihn mit der freien Hand weg. Aber das war nur pro forma. Vermutlich war sie noch immer nicht ganz über meine Grobheit hinweg.

Sie betrachtete eine Weile Arnolds Männer, wie sie ihre Profite nachrechneten.

»Diese Typen sind widerlich«, sagte sie. »Wegen denen werden wir es hier nie zu was bringen.«

»Ich habe aber in einem Reiseführer gelesen, daß die Wiener sehr nett zu Touristen sind.«

»Dann sehen Sie sich mal unsere Touristen an. Wie nett würden Sie denn zu ihnen sein? Die Wiener glauben schon längst, daß es bei uns zu Hause so aussieht wie in diesem stinkenden Bus.«

Wir verstummten und sahen hinaus. Unser Ikarus hielt an einer Ampel vor der Universität. Gleich neben uns wartete ein belgischer Reisebus. Wir standen Fenster an Fenster, nur eine Armeslänge voneinander entfernt. Der andere Bus hatte getönte Scheiben, eine Klimaanlage und eine fahrende Toilette. Hinter den Fenstern sah man ausgeruhte Belgier mit Videokameras, die neugierig ihrem Reiseleiter lauschten.

Die Touristen waren alles Pensionisten. Die meisten hatten das gleiche komische T-Shirt an. Es zeigte Mickymaus, die Pluto den Kopf tätschelt und zu ihm »Liebe geht durch den Magen« sagt. Vermutlich hatten sie es auf einer Rentnertombola gewonnen. Wenn Pensionisten etwas gratis bekommen, ziehen sie es sich sofort an.

Daneben standen wir. Ein der Länge nach umgestürzter Kühlschrank, dessen Klimaanlage aus einem halbgeöffneten Seitenfenster bestand, das sich weder weiter aufmachen noch ganz schließen ließ.

Unsere Passagiere waren übernächtigt und hatten so stark blutunterlaufene Augen, als wären sie nicht gefahren, sondern zu Fuß nach Wien gelaufen. Ein paar Visagen, die in jedem Piratenfilm Furore gemacht hätten, darunter auch Arnold, bemerkten den belgischen Bus und lösten sich für einen Moment von ihren Taschenrechnern. Sie sahen hinüber und zeigten obszöne Gesten, die man überall auf der Welt versteht.

Die Belgier revanchierten sich auf ihre Art. Sie schwenkten ihre Kameras auf unseren Bus und filmten uns.

Arnold und seine Leute tauschten darauf noch ein paar abfällige Bemerkungen aus und wandten sich wieder den Taschenrechnern zu. Aber die Belgier filmten auch das. Ein paar standen sogar von den Sitzen auf, um unsere -RE-M----VEL-Aufschrift ins Objektiv zu bekommen.

Und dann begann Arnold erste Anzeichen einer merkwürdigen Scham an den Tag zu legen. Er drehte scheinbar zufällig dem Luxusbus den Rücken zu und tat so, als würde er sich für ein gegenüberliegendes

Gebäude interessieren. So bekam er vermutlich zum erstenmal im Leben das Burgtheater zu Gesicht. Die anderen folgten seinem Beispiel.

Es war ein faszinierender Anblick. Diese Männer, die sogar mit österreichischen Zöllnern fertig wurden und vor praktisch nichts Angst hatten, zeigten sich verblüffend kamerascheu. Die Situation wurde langsam unerträglich, und alle warteten schon sehnsüchtig darauf, daß es endlich grün wurde. Aber die Ampeln waren genauso langsam wie alles andere in Wien, und es blieb bei Rot.

Plötzlich hielt Arnold es nicht mehr aus, und er rief dem Fahrer zu: »Was soll die Scheiße? Sollen wir hier verhungern oder was?«

Und dann hagelte es aus allen Ecken: »Bist du taub?« und »Gib doch endlich Gas, du Dream-Travel-Heini!«

Der Fahrer, der um seine eigene Gesundheit genauso besorgt war wie um den guten Namen seines Unternehmens, sah sich nervös nach allen Seiten um. Dann legte er den Gang ein, und der Ikarus rollte bei Rot über die Kreuzung. Gott sei Dank hatte uns niemand gesehen. Außer den Belgiern natürlich. Denn die hielten die ganze Zeit ihre Sony-Kameras auf uns gerichtet. Unser bei Rot flüchtender Ikarus kam gleich nach den anderen Sehenswürdigkeiten Wiens auf die Kassette. Spätestens in einer Woche würde er zusammen mit Arnolds verunsicherter Visage zu Hause in Belgien auf allen Videos zu bewundern sein.

»Sehen Sie«, sagte meine Nachbarin, »ich hätte es nicht besser ausdrücken können.«

5

Jeder weiß, daß wir ein katholisches Volk sind. Aber ich hätte nie gedacht, daß deswegen gleich unsere Endhaltestelle an der polnischen Kirche sein würde. Andererseits sah die polnische Kirche nicht gerade so aus, wie man es von Kirchen erwartet. Sie war von Verkaufsständen umstellt, auf denen sich Zigaretten, Büchsenöffner und eine Menge anderer Dinge stapelten, die man offenbar hier in Wien zum Leben brauchte. Die Käufer, fast alles Landsleute, drehten ihre Runden und blieben hin und wieder stehen. Es herrschte eine Stimmung wie auf dem Jahrmarkt.

Als unser Bus vor der Kirche anhielt und in einer Lücke einparkte, lösten sich ein paar Leute aus der Menge und gingen auf unseren Bus zu. Sie holten offenbar ihre Freunde oder Geschäftspartner ab. Ich hielt Ausschau nach dem Freund meiner Nachbarin, aber er war nicht darunter, denn sonst wäre sie ihm sicher schon entgegengelaufen.

Dafür sah ich den Pfarrer. Es war genauso, wie es Herr Kuka vorausgesagt hatte. Nicht ich würde ihn, sondern er würde mich finden. Als der Bus anhielt, ging der Pfarrer zur Motorhaube und machte ein Kreuz darüber, als wäre sie eine Reliquie. Das war wohl hier so üblich. Aber ich war neugierig, ob er das auch getan hätte, wenn er gewußt hätte, daß er gerade frisch geschmuggelten Zigarettenstangen im Gesamtwert von fünfzigtausend Schilling die Absolution erteilt hatte.

Dann drehte er sich wieder um und ging zurück zu seiner Kirche. Er trat aber nicht gleich ein, sondern blieb noch einen Moment vor einer kleinen Seitentür stehen und sah ein letztes Mal zum Bus hinüber.

Er gab mir damit zu verstehen, daß er auf mich warten würde.

Inzwischen öffneten sich die Bustüren. Um genau zu sein, die Hintertür, denn die Vordertür war plötzlich kaputt. Es entstand so ein Gedränge, daß ich mich lieber zurückhielt. Schließlich kam es auf ein paar Minuten mehr auch nicht mehr an. Ich ließ den ganzen Bus an mir vorbeimarschieren. Arnolds Leute sahen ziemlich erschöpft aus, aber sie schleppten ihre Taschen mit einem glücklichen Lächeln hinter sich her, als wäre mindestens Gold darin.

Als Arnold an mir vorbeiging, konnte er es sich nicht verkneifen zu sagen: »Viel Glück, du Millionär. Bald kommst du auch drauf, daß man hier nicht nur von guten Manieren lebt.«

Dann tätschelte er mir die Schulter und marschierte weiter. Seine Kumpel lachten wie Hyänen über diesen Witz und folgten ihm im Gänsemarsch.

Am Ende blieben nur ich und die Nagelfeile übrig. Ich half ihr, die Tasche herunterzuholen, und fragte sie ein bißchen über ihr Privatleben aus.

»Was macht Ihr Bräutigam eigentlich von Beruf? Ich meine, wenn man fragen darf.«

»Er arbeitet bei der Eisenbahn. Er ist nicht mein Bräutigam.«

»Warum besorgt er Ihnen dann nicht Eisenbahntickets, statt Sie mit diesem Bus fahren zu lassen? Wenn Sie meine Freundin wären, würde ich Ihnen täglich eine Menge Tickets besorgen.«

»Ich werde ihn darauf ansprechen. Danke für den Tip.«

Sie nahm ihre Tasche und machte sich auf den Weg. Ich redete weiter, ich konnte mich einfach nicht beherrschen.

»Ich finde, Sie sollten sich lieber gleich einen Piloten zulegen. Fliegen ist schick.«

»So schick wie Ihr Mundwerk?« fragte sie.

»Hören Sie, das war jetzt nicht so gemeint. Sind Sie jetzt beleidigt?«

Sie blieb stehen und sah mich an. »Nein. Aber ich will langsam aussteigen. Sie etwa nicht?«

»Wissen Sie, es ist nur so, daß ich Sie gerne bitten würde, sich mal mit mir zu treffen. Sie könnten mir die Stadt zeigen. Nach dem, was Sie mir erzählt haben, kennen Sie sich hier prima aus.«

Sie schmunzelte. »Ich muß jetzt gehen. Er wird schon ungeduldig sein.«

Sie reichte mir die Hand zum Abschied. Ich ergriff sie und zerquetschte ihr dabei vermutlich vor Aufregung alle Finger. Aber sie hatte wirklich eine sehr kleine Hand.

»Es war nett, Sie kennenzulernen, Waldemar«, sagte sie.

»Woher kennen Sie denn meinen Namen?«

»Ich habe beim Zoll in Ihren Paß hineingesehen.

Nochmals alles Gute. Und vergessen Sie nicht, was ich Ihnen über den Arbeiterstrich gesagt habe. Hüten Sie sich davor.«

»Ein kleine Verabredung? Nichts weiter, wirklich.«

Sie schüttelte den Kopf, drehte sich um und ließ mich einfach mitten im Gang stehen. Das war ganz schön bedrückend. Wenn auch nicht so bedrückend, wie ich tat. Man läßt mich nämlich öfter im Gang stehen.

Ich ging zu meinem Platz zurück und nahm den Rucksack auf. Ich war wieder mal der letzte. Als ich ausstieg, wurde ich ein bißchen wehmütig. Schließlich hatte ich in diesem Bus einiges gesehen, was man nicht mal im Fernsehen zu sehen bekommt.

Als ich meine ersten Schritte machte, passierte etwas Komisches. Ich war plötzlich überhaupt nicht mehr wild darauf, den Westen zu erobern. Mit diesem Jahrmarkt ringsum war es so, als wäre ich gar nicht weggefahren. Außerdem renkte ich mir den Hals nach meiner Blondine aus. Ich hätte mich gerne noch mal für alles bedankt und sie doch noch um eine Verabredung gebeten. Als ich sie erblickte, war sie schon eine Straßenecke weiter und begrüßte ihren Freund. Ich hatte schon geahnt, daß er keine halbe Portion wie ich sein würde. Aber daß er ein bißchen wie Arnold aussah, überraschte mich schon. Er hatte ein weit aufgeknöpftes Hemd, damit man seine behaarte Brust mit einem goldenen Medaillon sehen konnte. Die typische Männerbrust des abtretenden zwanzigsten Jahrhunderts. Er umarmte die Nagelfeile so heftig mit seinen Pranken, daß er ihr wahrscheinlich die halbe Schulter zerquetschte. Aber sie war trotzdem überglücklich darüber. Ich hörte, wie er sagte, daß er schon seit einer Viertelstunde auf sie wartete. Er sprach nämlich so laut, daß man es zwei Häuser weiter hören konnte. Sie wurde ganz rot über dieses Kompliment und schmiegte ihr Gesicht an seine ekelhafte Brust.

Dann marschierten sie über die Straße, wo sein Auto parkte. Sie drehte sich kein einziges Mal um. Nach zehn Stunden Fahrt und so vielen Abenteuern sah sie nicht einmal kurz über die Schulter. Aber schließlich hat sie einen echten Traummann erwischt. Er sah aus wie King Kong. Bloß die Tasche mußte sie selber tragen.

6

Die Tür zur Sakristei war aus massiver Eiche. Ich klopfte, so laut ich konnte. Doch zu meiner Überraschung öffnete sie der Pfarrer so schnell, als hätte er dahinter gelauert. Er kam mir aus der Nähe älter vor als vorhin aus dem Busfenster.

»Die Messe beginnt in einer halben Stunde«, sagte er.

»Ich habe eine Nachricht von Herrn Kuka«, antwortete ich.

Ich kam gleich auf den Punkt, um es schnell hinter mich zu bringen. Schließlich wartete heute noch einiges auf mich. Außerdem ging mir der Jahrmarkt ein bißchen auf die Nerven.

Der Pfarrer betrachtete mich von oben bis unten und zeigte auf das Innere der Sakristei: »Wenn es so ist. Dann müssen Sie unbedingt kurz eintreten.«

Das Pfarrzimmer sah ziemlich gemütlich aus. Es standen dort ein Bett, das offenbar nicht benutzt wurde, und ein riesiger Schreibtisch, über dem das Kreuz mit Jesus Christus hing. Der Pfarrer setzte sich und bot mir einen Stuhl an. Aber ich hatte in den letzten Stunden schon genug gesessen und blieb stehen.

»Also um welche Nachricht handelt es sich?« fragte er.

»Ich soll Sie grüßen und ausrichten, daß das Päckchen längst angekommen ist.«

Der Gesichtsausdruck des Pfarrers veränderte sich. Bis jetzt hatte er mich gütig angesehen, aber nun strahlte er. Offen gestanden hatte ich noch nie einen so erfreuten Geistlichen gesehen. Und das will schon was heißen. Ich war nämlich mal Ministrant gewesen und hatte mehr Pfarrer in meinem Leben gesehen als jeder andere Durchschnittsmensch.

»Das ist eine gute Nachricht«, sagte er. »Wollen Sie sich nicht doch setzen?«

»Vielen Dank. Sitzen ist das letzte, was ich im Moment möchte.«

»Wie Sie wünschen. Wo ist das Päckchen jetzt?«

Ich zuckte die Achseln. »Woher soll ich das wissen? Davon hat Herr Kuka nichts gesagt.«

Der Pfarrer lächelte noch immer vor sich hin. »Kuka muß Ihnen das Päckchen gegeben haben. So war es ausgemacht.«

»Also, das tut mir leid. Ich habe nichts außer dieser Nachricht.«

Der Pfarrer faltete die Hände wie zu einem Gebet. »Konzentrieren Sie sich bitte. Hat er Ihnen wirklich nichts gegeben? Nicht einmal eine Kleinigkeit?«

»Nein. Gar nichts. Außer meinem Glücksbringer.«

»Darf ich ihn mal sehen?«

»Es ist ein uraltes Feuerzeug. Außerdem ist es kaputt.«

»Darf ich es trotzdem sehen?«

Ich holte das Feuerzeug aus der Tasche und reichte es ihm über den Schreibtisch. Er nahm es in die Hand, drehte es seitlich zum Licht und fing an, es zu zerlegen. Er war wirklich ganz schön geschickt für einen Geistlichen. Ich kam gar nicht mit dem Schauen nach. Plötzlich sprang aus dem Feuerzeug ein kleines rundes Stück Metall heraus. Er ließ es geschickt in der Schreibtischschublade verschwinden und montierte das Feuerzeug wieder zusammen.

»Bitte, ist so gut wie neu.« Er reichte es mir über den Tisch.

»Augenblick mal«, sagte ich. »War da nicht etwas drin?« Ich hatte deutlich gesehen, wie der Pfarrer etwas herausnahm.

Der Pfarrer winkte ab. »Das ist nicht der Rede wert. Ein kleines Souvenir von Herrn Kuka für die katholische Kirche.«

»Das sah aber nicht nach einem Souvenir aus. Was um Himmels willen war denn das?«

Ich war auf einmal ganz aus dem Häuschen. Was hatte ich da bloß über die Grenze geschleppt?! Zehn Gramm Plutonium?

»Also bevor ein junger Mensch in meiner Pfarre einen Herzinfarkt bekommt, verrate ich es vorher«, lächelte er. »Es ist eine kleine Münze. Sie ist wirklich nicht des Aufhebens wert, das wir darum machen.«

»Warum hat mir dann Herr Kuka nichts gesagt?«

»Weil er Ihnen unnötige Aufregung bei der Grenzkontrolle ersparen wollte. Man hört immer wieder, daß es dort zugeht wie in einem Agentenfilm.«

Ich nahm das Feuerzeug vom Tisch und sah es mir von allen Seiten an. Meine Gedanken kreisten um eine

Frage. Die hatte nichts mit der Grenze oder Herrn Kukas Geschenk zu tun. Ich sah dem Pfarrer so tief in die Augen, wie man einem Pfarrer in die Augen schauen kann: »Wollen Sie damit sagen, daß ich nur wegen dieser Münze nach Wien gekommen bin? Daß meine ganze Reise von Herrn Kuka eingefädelt worden ist, damit ich jetzt hier stehe?«

»Also das klingt ganz schön dramatisch, finden Sie nicht? Soviel ich weiß, waren Sie sich ganz unschlüssig, wohin Sie fahren wollten.«

»Das wissen Sie also auch? Woher –?«

»Auch die katholische Kirche kennt inzwischen das Telephon.« Er lächelte leicht verlegen. »Ich kann aber verstehen, daß für Sie das Ganze moralisch gesehen nicht hundertprozentig in Ordnung war. Doch ich würde über Herrn Kuka nicht allzu schlecht denken. Wußten Sie zum Beispiel, daß er vor der Wende einer der besten Schachspieler unseres Landes gewesen ist? Er besaß sogar einen Schachklub und war sehr geachtet. Er trug immer eine Fliege um den Hals und hatte einen Spazierstock. Aber nach der Wende verlor er zuerst seinen Schachklub, dann seine Fliege und verkaufte am Ende seinen Spazierstock. Wenn er nicht eine Sammlung von alten Münzen besäße und hin und wieder an mich ein Päckchen schicken würde, säße er jetzt schon längst auf der Straße. Dafür, was Sie heute gebracht haben, wird er ein paar Monate über die Runden kommen. So gesehen haben Sie eine christliche Tat vollbracht. Ich danke Ihnen, und Herr Kuka tut es bestimmt auch.«

Ich war wirklich froh, daß ich meine christliche Tat nicht dem Zöllner hatte erklären müssen. Der war bestimmt auch katholisch, aber ich zweifle, ob seine Zöllnerhand es auch war. Aber wenn der Pfarrer das jetzt nicht verstand, würde er es nachher genausowenig verstehen. Das nächstemal würde ich jedenfalls Glücksbringer von Herrn Kuka unter dem Mikroskop auseinandernehmen, bevor ich sie überhaupt in die Tasche steckte. Ich atmete tief durch zum Zeichen, daß ich mich überzeugen ließ, und wechselte das Thema: »Sagt Ihnen vielleicht das Hotel Vier Jahreszeiten etwas? Ihr Freund, Herr Kuka, hat es mir nämlich empfohlen.«

»Oh! Das ist ganz nah.« Er zeigte auf die Wand, wo das Kreuz mit Jesus Christus hing. »Gleich auf der anderen Straßenseite.«

»Auf der anderen Straßenseite ist nur irgendein Schloß. Ich habe es vom Busfenster aus gesehen.«

»Genau. Das Belvedere.«

»Und dort ist das Hotel Vier Jahreszeiten? Herr Kuka sagte, es kostet nichts.«

»Das stimmt auch. Denn im Belvedere ist ein Park. Und in dessen Westteil wiederum ist ein Springbrunnen, in dem vier Marmorgrazien stehen und die vier Jahreszeiten symbolisieren. Dahinter ist eine Hecke mit einer Parkbank. Das hat Herr Kuka wohl gemeint.«

Meine Beine gaben nach. Ich hätte mich beinah doch hingesetzt. Das schlug wirklich dem Faß den Boden aus. Alles, was Herr Kuka erwähnt hatte, verwandelte sich auf wundersame Weise ins Gegenteil. Der Dream Travel war ein Kühlschrank, mein Glücksbringer ein Schmuggelversteck und das Hotel Vier Jahreszeiten eine Parkbank.

»Ich soll also laut Herrn Kuka im Freien übernachten?!« fragte ich entrüstet.

»Es ist Sommer, Sie sind jung und gesund. Was spricht also dagegen?«

»Kommt nicht in Frage! Da gehe ich lieber gleich in ein Hotel oder eine Jugendherberge.«

»Dann hoffe ich für Sie, daß Sie genug Geld haben. Eine Nacht im Hotel kostet um die tausend Schilling herum, und die Jugendherbergen sind ausgebucht, weil Studenten aus aller Welt zu einem katholischen Gitarrenkonzert gekommen sind. Zufällig weiß ich das aus erster Hand.« Er zeigte auf sich selbst. Das sollte bedeuten, daß er diese erste Hand war. Sehr gelungen war das. Bloß war mir nicht nach Lachen zumute. Ich habe in meinem Leben nur einmal im Freien übernachtet und hatte die ganze Zeit kein Auge zugemacht. Ich hatte ständig Ausschau gehalten nach Tieren wie Igeln, Ratten und Ameisen, die in der Nacht aktiv werden. Und in Wien kamen noch die Polizisten dazu. Die lauerten bestimmt auf solche Touristen wie mich.

Mein Gesicht schien meine Befürchtungen widerzuspiegeln, denn der Pfarrer schüttelte den Kopf: »Keine Sorge. Diese Bank ist sehr gut versteckt. Herr Kuka hat einen ganzen Monat dort geschlafen, und kein Mensch hat ihn aufgestöbert. Außerdem wird das Belvedere nachts geschlossen. Sie sind also mutterseelenallein. Sie können nackt im ganzen Park herumlaufen. Und die Sommernächte in Wien sind viel wärmer als bei uns zu Hause. Manchmal, wenn es stickig ist, ertappe ich mich bei dem Wunsch, selbst einmal hinüberzugehen und dort unter freiem Himmel inmitten der Natur zu schlafen. Besonders im Sommer. Leider geht das nicht. Ich bin Pfarrer. Das wäre kein gutes Beispiel für meine Schäfchen.«

Ich zeigte hinaus auf den Jahrmarkt: »Meint der Pfarrer die Schäfchen in den Schafspullis? Wo übernachten die denn eigentlich? In einem Stall?«

Ich konnte es mir einfach nicht verkneifen. Aber ich war innerhalb von fünf Minuten zweimal von Herrn Kuka hereingelegt worden.

Der Pfarrer nahm es gelassen hin. Er schien sogar froh darüber zu sein. Es war ein guter Vorwand, sich langsam von mir zu verabschieden.

»Bleiben Sie dort eine Nacht und entscheiden selbst. Wenn das alles wäre«, er sah auf die Uhr, »würde ich gerne noch ein bißchen allein sein. In Kürze beginnt die Messe, und ich muß noch duschen. Möchten Sie noch etwas über Wien erfahren?«

»Nein danke. Ich sammle meine Informationen lieber allein.«

»Dann halte ich Sie nicht länger auf. Das Belvedere schließt bald die Tore. Sie sollten sich beeilen.«

Er ging zur Tür. Ich folgte ihm, so schnell es mein Rucksack erlaubte.

Als ich auf der Straße stand, sagte er etwas Seltsames zum Abschied: »Ich weiß, daß Sie von Ihrem Glücksbringer nicht viel halten. Verlieren Sie ihn trotzdem nicht. Eines Tages werden Sie Herrn Kuka noch dafür dankbar sein. Und das Wichtigste hätte ich beinah vergessen. Willkommen in Wien, junger Mann.«

Dann tat er etwas, was Geistliche niemals tun. Er reichte mir die Hand zum Abschied. Sie war weich und verschwitzt. Das Gegenteil von der Hand eines

Zöllners. Wenigstens war er ein guter Psychologe, was man normalerweise von Pfarrern nicht sagen kann. Ich hatte tatsächlich das Feuerzeug bei der ersten Gelegenheit wegschmeißen wollen. Einfach aus Rache. Und das hatte er sofort gespürt.

7

Ich betrat das Belvedere mit dem mulmigen Gefühl, daß es sich vielleicht doch als eine Tiefgarage entpuppen könnte. Ich traute niemandem mehr, der nur irgendwie mit Herrn Kuka zu tun hatte. Aber diesmal wurde ich angenehm überrascht.

Das Belvedere war nicht nur ein Park, sondern eine richtige Touristenattraktion mit Alleen und einem großen Schloß. Es gab dort so viel zu besichtigen, daß die Touristen mit dem Schauen nicht nachkamen.

Ich wartete, bis es acht Uhr wurde. Dann wurden die letzten Besucher von einem senilen Wärter hinausgebeten und das Tor geschlossen. Der Wärter verschwand in seinem Wärterhäuschen und ließ sich nicht mehr blicken. Ich machte mich auf die Suche nach Herrn Kukas Hotel Vier Jahreszeiten und fand es erst nach intensiver Suche im hintersten Winkel des Parks. Das war ein gutes Zeichen. Für jemanden, der davon nichts wußte, war es praktisch unauffindbar. Die Parkbank war von allen Seiten durch Hecken und Efeukugeln abgeschirmt. Es sah fast so aus, als hätte Herr Kuka alles absichtlich so gepflanzt. Die Wege, die zu der Bank führten, waren mit Kies gestreut, so daß man einen Eindringling schon auf.zwanzig Meter Entfernung hören konnte. Gleich neben der Bank wuchs eine riesige Efeukugel, in die ich meinen Rucksack schob. Er verschwand darin so vollständig, daß ich ihn später, als ich meine Zahnbürste holen wollte, um ein Haar nicht mehr gefunden hätte. Diese Efeukugel war so geräumig wie ein Bauernschrank.

Als nächstes packte ich meinen Schlafsack aus und legte ihn so hin, daß mein Kopf gegen Osten zeigte. Es hatte nicht das geringste damit zu tun, daß ich aus dem Ostblock komme. Ich schlafe immer mit dem Kopf in diese Richtung. Dann legte ich mich probeweise hin und mußte fairerweise eingestehen, daß unsere Parkbänke den westlichen Parkbänken nicht das Wasser reichen können. Unsere Bänke wackeln und quietschen, wenn man sie nur ansieht. Die Parkbank im Belvedere war solide wie ein Metallbett. Das einzige, was mich ein bißchen störte, war die Aufschrift auf ihrer Lehne. Immer wenn ich mich nach rechts drehte, starrte ich genau auf die »Bin Eigentum der Stadt Wien«-Aufschrift. Ich konnte nur hoffen, daß sich das nicht allzu nachhaltig auf meine Psyche auswirkte. Aber wenn ich mich nach links drehte, sah ich dafür das Schloß Belvedere. Es wurde von allen Seiten von Scheinwerfern beleuchtet und sah aus wie aus einem Märchen. Zum ersten Mal dachte ich etwas freundlicher an Herrn Kuka. Denn so wie es aussah, schlief ich zwar im Freien, hatte aber die schönste Aussicht in der Stadt erwischt.

Als es ganz dunkel wurde, ging ich zum Springbrunnen, um mir die Skulpturen genauer anzuschauen. Immerhin waren es Frauen. Am Rande stand ein kleiner Amor, der schon seit dreihundert Jahren Wasser auf dieselbe Stelle pinkelt. Ich probierte es und stellte fest, daß es zehnmal besser schmeckte als das bei uns aus dem Wasserhahn.

Danach trat ich an den Rand des Springbrunnens und betrachtete ausgiebig die vier Jahreszeiten. Es waren vier Frauenskulpturen aus Marmor, was sicher meinen Großvater freuen würde. Eigentlich waren es noch Mädchen. Alle so in meinem Alter. Sie waren nackt, und nur ihr Haar deutete an, welches Mädchen welche Jahreszeit war. Der Herbst hatte Weintrauben im Haar. Der Frühling Blumen. Und so weiter. Ihre Köpfe neigten sich nach unten, und sie stemmten alle die Hand in die Hüfte, wie jemand, der auf rutschigem Boden das Gleichgewicht hält.

Plötzlich tat ich etwas Seltsames. Ich krempelte mir die Hosen bis zu den Knien hoch und stieg in den Brunnen. Ich war überrascht, wie warm das Wasser war. Ich watete zu der Herbstgrazie, die am nächsten stand, und schmiegte meine Wange an ihren Bauch. Er war noch warm vom Sonnenlicht. Diese Wärme durchflutete mich, und mein Ärger über Herrn Kuka begann sich langsam in Luft aufzulösen. Er mochte zwar meinen Wienaufenthalt eingefädelt haben, aber die Reise selbst wurde von etwas Größerem als von Herrn Kuka eingefädelt. Ich kannte ihren wahren Grund noch nicht. Aber ich wußte ganz sicher, daß er nicht darin bestand, dem Pfarrer eine Münze vorbeizubringen. Ich würde bestimmt dahinterkommen. Ich hatte zwei Monate zur Verfügung, und in dieser Zeit konnte alles passieren.

Da bemerkte ich, daß auf dem Boden des Brunnens Hunderte winziger Punkte im Mondlicht glitzerten.

Im ersten Moment dachte ich, es seien die Sterne, die sich im Wasser spiegeln, aber es waren Münzen, die die Touristen hineingeworfen hatten. Jede Münze war ein Tourist. Sie sollte nach altem Brauch Glück in einer fremden Stadt bringen. Der ganze Boden funkelte wie ein kleines Universum. So gesehen stand ich um einiges besser da als diese Touristen. Für mein Glück sorgte ein Feuerzeug. Die Münze, die mir nur Pech gebracht hätte, war in der katholischen Kirche geblieben.

8

Ich blieb nicht nur die erste Nacht im Vier Jahreszeiten, sondern auch die darauffolgenden. Ich schob meine Arbeitssuche um eine Woche auf und wurde ein richtiger Tourist. Zwar besaß ich keine Sony-Kamera, keine Goretex-Jacke, nicht mal eine Sonnenbrille, aber dafür hatte ich dem österreichischen Fremdenverkehr zwei wachsame Augen und meine Tennisschuhe mit schwarzem Rand anzubieten. Dieser Rand war im vergangenen Sommer entstanden, als ich gleich vor dem Schuhgeschäft im heißen Asphalt stolperte. Fünf Minuten später war der Teer durch nichts mehr wegzubekommen. Dafür aber hielt er die Schuhe so fest zusammen, daß ich damit fünfmal den Mount Everest hätte hinauflaufen können, ohne daß irgendwas daran kaputtgegangen wäre. Ich konnte mir keine geeigneteren Schuhe vorstellen für eine Stadt, in der ich mir keinen Fahrschein leisten konnte.

In den ersten Tagen stand ich morgens um acht Uhr auf, aß meinen Thunfisch mit einer Semmel, die ich mir regelmäßig in einem Laden namens »Anker« kaufte, und mischte mich dann unter die Belvedere-Touristen, um beim Hinausgehen dem Torwärter nicht allzusehr aufzufallen. Manchmal bat man mich unterwegs, ein Foto von einer japanischen oder italienischen Familie vor dem Schloß Belvedere zu knipsen, was dazu führte, daß ich bald eine Nikon professionell bedienen konnte und ein paar Brocken Italienisch aufgeschnappt hatte.

Ein paarmal wurde ich sogar selber fotografiert, weil man mich für den Gärtner hielt. Das erfüllte mich mit Stolz, denn kaum war ich ein paar Tage da, schon ging mein Bild um die Welt. Und wer weiß, mit etwas Glück würde ich vielleicht in einem Haushalt in Tokio als europäischer Gärtner in einem Blumenkalender hängen.

Immer wenn ich morgens das Belvedere verließ, lief ich hinüber in die Innenstadt, um mir alles, was ich schon aus dem Busfenster gesehen hatte, nochmals in Ruhe anzuschauen. Bald kannte ich die Innenstadt wie meine Westentasche und war sogar in der Lage, anderen Touristen Auskünfte zu erteilen. Nachdem ich mich an allem satt gesehen hatte, übte ich mich darin, echte Wiener von den Touristen zu unterscheiden. Es ist nämlich gar nicht so leicht, einen Wiener auf den ersten Blick zu erkennen. Denn obwohl Wiener ziemlich viel Wert darauf legen, Wiener zu sein, sehen sie trotzdem anderen Menschen sehr ähnlich. Am leichtesten waren die in diesen ländlichen Tirolertrachten zu erkennen, die man immer dann im Fernsehen zeigt, wenn von der Leistungsfähigkeit österreichischer Milchkühe die Rede ist. Allerdings waren diese Tiroleranzüge so fein genäht und schön gebügelt, daß es kaum anzunehmen war, daß sie jemals eine lebendige Kuh aus der Nähe zu sehen bekommen hatten. Diese Wiener hatten die Gewohnheit, über alles eifersüchtig zu wachen, was ihnen gehörte und was ihnen nicht gehörte.

Eines Tages blieb ich vor einer Juwelierauslage stehen, um mir eine Armbanduhr anzusehen. Eigentlich war die Uhr nicht so wichtig, ich wollte lediglich in Ruhe die Nullen auf dem Preisschild zählen, denn es waren so viele, daß ich meine Finger zu Hilfe nehmen mußte. Dabei merkte ich nicht, daß ein Tirolerpärchen neben mir stehengeblieben war und mich mindestens so neugierig anstarrte wie ich die Uhr. Als ich ihre Gesichter sah, stellte ich fest, daß sie vermutlich angesichts meines Anblicks nur ganz knapp davon entfernt waren, die Polizei zu rufen.

Wäre das am ersten Tag passiert, wäre ich vermutlich sofort geflüchtet. Aber dank meiner bisherigen Nachforschungen kannte ich inzwischen die Wiener gut genug, um zu wissen, wie man sie beschwichtigte. Es reichte, wenn man zu einem Wiener »grüß Gott« sagt, und schon schmilzt er dahin. Als ich zu dem Pärchen »grüß Gott« sagte, antwortete es sofort wie ein Automat »grüß Gott«. Dann lächelten die beiden mir sogar vorsichtig zu, und ich ging meines Weges. Die Wiener sind nämlich die höflichsten Menschen in Europa. Überall wird zuerst Gott gegrüßt, und erst dann wird geschaut, wen man da eigentlich gegrüßt hat. Einmal sah ich einen Bettler, der sich ins Hotel Sacher verlief. Er hatte es bis zur Rezeption geschafft, bis er wieder auf der Straße landete. Aber sogar dann lüfteten die Gepäckträger die Hüte und wiederholten ein paarmal: »Wiederschauen, der Herr. Wiederschauen, der Herr.«

Diese Freundlichkeit hing bestimmt auf eine geheimnisvolle Weise mit den vielen Verbotsschildern zusammen, die es in dieser schönen und ruhigen Stadt gab. Sobald man in Wien auf die Straße trat, stieß man dauernd auf Dinge, die verboten waren. Rasenbetreten, Rechtsstehen, Linksgehen, Gelbelinieüberschreiten, Roteliniebetreten – das alles ist in Wien nicht erlaubt. Sogar die Kinder haben ihre eigene Verbotstafel. Einmal kam ich an einem Kinderspielplatz vorbei, da hing eine Reihe von Tafeln am Eingang, aus denen hervorging, daß auf dem Spielplatz das Fußballspielen, Schaukeln, Rollschuhfahren und Radfahren verboten war. Nur das Betreten bei Glatteis erfolgte auf eigene Gefahr. Das war um so merkwürdiger, weil die Wiener wirklich nicht wie Leute aussehen, die oft Gesetze übertreten. Die meiste Zeit sitzen sie in ihren gemütlichen Kaffeehäusern, blättern stundenlang in der Zeitung und nippen an einer Melange. Nur hin und wieder sieht man jemand, wie er plötzlich etwas Stärkeres bestellt und anfängt, herumzugrübeln, wie er unbemerkt an all diesen Verbotsschildern vorbei nach Hause kommen könnte.

Aber ich machte in Wien nicht nur mit Wienern Bekanntschaft. In meinen ersten Tagen besuchte ich eine Menge Sehenswürdigkeiten, wo es nur so von anderen Nationen wimmelte. Als ich im Prater war, fuhr ich eine Runde mit dem Riesenrad, um endlich Wien auch mal von oben zu sehen. Dabei stieg ich versehentlich in eine Gondel ein, die voll mit einer italienischen Familie war. Sie hielten mich aus einem unerfindlichen Grund für einen Russen. Sie waren auch felsenfest überzeugt, daß alle Russen verrückt nach Schokoriegeln sind. Sie mußten wohl zu Hause eine Schokoriegelfabrik haben, denn es wurde mir jede zweite Minute ein Schokoriegel zugeschoben. Zum Schluß, nachdem mir jedes Mitglied der Familie seinen Schokoriegel aufgezwungen hatte, kam noch ganz diskret die italienische Großmutter zu mir und drückte mir mit leuchtenden Augen einen steinharten Schokoriegel von der Größe einer Hantel in die Hand. Wegen dieser ganzen Schokoriegelgeschichte kam niemand von uns dazu, sich Wien anzusehen. Als wir wieder unten waren, mußten sich die Italiener noch eine Fahrt kaufen und wollten mich gleich mit einladen. Aber ich gab mit ein paar Gesten zu verstehen, daß ich schleunigst nach Rußland zurückmußte, um die Schokoriegel mit dem Rest meiner russischen Familie zu teilen.

Am nächsten Tag beim Schönbrunn-Besuch mischte ich mich sicherheitshalber gleich unter eine Gruppe deutscher Touristen. Wir folgten einem Reiseleiter, der so gut aussah, daß die Frauen überhaupt nichts von Schönbrunn mitbekamen. Es störte sie nicht einmal, daß er unglaublich schmutzige Fingernägel hatte, die man wahrlich schwer übersehen konnte. Er fuchtelte nämlich mit seinen Händen wie ein Dirigent herum, als wollte er ganz Schönbrunn damit dirigieren, und die Frauen stießen einen Seufzer nach dem anderen aus. Oben auf der Gloriette nahmen die Männer Rache. Der Reiseleiter beugte sich über den Teichrand und zeigte nonchalant auf die herumschwimmenden rosaroten Fische und flötete: »Unter diesen Karpfen, meine Damen und Herren, ist ein Exemplar, das noch eigenhändig von Kaiser Franz Joseph gefüttert wurde. Wer traut sich zu, ihn zu erraten? Vielleicht die Frau im Blumenkleid?«

Die Frau im Blumenkleid zeigte, ohne zu überlegen, auf irgendeinen Karpfen.

Der Reiseleiter schmunzelte: »Daneben. Das da ist unser Mann.« Er zeigte auf einen anderen Karpfen, der genauso aussah wie der erste. Alle Frauen beugten sich neugierig vornüber, um einen Fisch zu sehen, der aus der Hand des Kaisers gefressen hatte.

In diesem Moment hielt es ein Mann nicht mehr aus und sagte: »Dieser Karpfen ist höchstens fünf Jahre alt, junger Mensch.«

Der Reiseleiter lächelte süßlich: »Ach so? Steht das etwa auf seinem Rücken?«

»Ich habe mein Leben lang Karpfen gezüchtet. Ich erkenne einen Karpfen im Schlaf. Und außerdem wird ein Karpfen nie älter als zwanzig Jahre.«

»Wir sind alle Karpfenzüchter aus Dortmund«, pflichtete ihm ein zweiter bei.

Der Reiseleiter lächelte weiter süßlich vor sich hin und sah drein, als würde er an diesem Tag kein Wort mehr sagen. Ich löste mich diskret aus der Gruppe und trabte die Gloriette hinunter. Unterwegs sah ich mir die Tulpen an, die so gepflanzt waren, daß sie einen Violinschlüssel und Noten bildeten. Das ergab eine kleine Melodie. Ich summte sie mir noch in der U-Bahn vor. Und das, obwohl ich schwarz fuhr und die ganze Zeit nach einer Kontrolle Ausschau hielt.

Am Ende meiner ersten Wienwoche ging ich in den Stephansdom, den ich mir aus einem bestimmten

Grund bis zum Schluß aufgespart hatte. Es gab in der Nähe nämlich ein Kaffeehaus, das ich nachher besuchen und wo ich endlich wie ein Wiener an einer Melange nippen wollte. Ich kaufte mir bei der Oper in einer Trafik eine Ansichtskarte für meine Eltern und bog in die Kärntnerstraße ein. Da die Kärntnerstraße voll von Boutiquen ist, blieb ich hin und wieder an einer Auslage stehen.

Als ich mir gerade Frauenunterwäsche ansah, tippte mir plötzlich jemand auf die Schulter. Ich drehte mich um und sah vor mir einen etwa zwanzigjährigen Mozart stehen mit einem Katalog im Arm.

Er lächelte mir zu und fragte höflich: »Darf ich zwei Minuten Ihrer kostbaren Zeit in Anspruch nehmen?«

Ich nickte, denn so kostbar war meine Zeit auch wieder nicht. Außerdem ließ ich mir keine Gelegenheit entgehen, mit einem Einheimischen an meinem Deutsch zu feilen.

Mozart öffnete seinen Katalog und fuhr mit der Hand darüber, als striche er ein Blatt Papier gerade: »Wir haben ein faszinierendes Angebot für den heutigen Abend«, informierte er mich, »›Aida‹. Eine Oper voller Romantik und Dramatik. Für Leute unter fünfundzwanzig haben wir eine Loge in der Preislage von achthundertfünfzig Schilling.«

Das klang zwar mächtig einstudiert, aber es war der erste ganze Satz auf hochdeutsch, den ich in Wien gehört hatte.

»Was ist das für eine Oper?« fragte ich.

»›Aida‹. Sagte ich bereits.«

»Schon. Aber was geschieht denn da genau?«

Mozarts Verkäuferhaltung schmolz dahin. Er kratzte sich am Kopf, wobei seine Perücke verrutschte und sein dunkles Haar zum Vorschein kam.

»Na ja«, er zwinkerte mir zu, »vermute, die übliche Masche. Im ersten Akt wird jemand niedergestochen, und dann singt man den ganzen Rest darüber.« Seine Stimme wurde förmlicher. »Ich müßte hier noch ein Libretto haben, das Sie natürlich gratis dazubekommen würden. Normalerweise interessiert sich niemand für den Inhalt, sondern nur für die Sänger.«

Er blätterte in seinem Katalog. Dann betrachtete ich ihn: Sein Gesicht war voller Pickel, und auf seinem Hals glänzten Schweißperlen. Er steckte in diesem Mozartkostüm bestimmt schon seit ein paar Stunden. Und unter seiner Perücke herrschte sicher eine Temperatur wie in einem Backofen, sonst würde sie ihm nicht dauernd verrutschen. Ich bekam auf einmal schreckliche Gewissensbisse, daß ich unnötig Hoffnungen erweckt hatte. Ich war wirklich der letzte Mensch auf der Welt, der die »Aida« sehen wollte.

Er zog etwas heraus, das wie ein Heft aussah. »Da wäre der Text. Ich könnte es schnell zusammenfassen, wenn Sie interessiert sind.«

»Ich würde gerne ›Aida‹ sehen«, stotterte ich. »Aber ich muß vorher mit meiner Frau darüber sprechen. Die wartet aber vor dem Stephansdom auf mich.«

»Hören Sie«, sagte er. »Nehmen Sie wenigstens einen Sitzplatz. Dreihundert Schilling. Was ist das schon?«

»Tut mir leid. Wirklich –«

»Verdammt«, murmelte er. »Was mache ich denn bloß falsch?«

Er starrte mich an, als könnte ich ihm das beantworten. Aber er machte meiner Meinung nach gar nichts falsch. Ich war derjenige, der etwas falsch gemacht hatte. Er sah wieder in seinen Katalog und stelzte in seinem komischen Kostüm davon. Er ging in den Schatten, wo schon ein paar andere Mozarts saßen. Er setzte sich zu ihnen und starrte auf den Gehsteig unter seinen Schuhen. Ich war so knapp davor, mir einen Sitzplatz für die »Aida« zu kaufen, und machte, daß ich wegkam. Erst als ich ein paar Geschäfte weiter war, drehte ich mich wieder um. Mein Mozart hatte sich überraschend schnell von seiner Enttäuschung wieder erholt. Er war aufgestanden und suchte energisch nach einem neuen Opernliebhaber.

Vor dem Stephansdom gab es eine Menge Touristen, die sehr an dem Bauwerk interessiert waren. Ich war der einzige, der sich nicht soviel daraus machte. Als ich hineinging, war ich zwar von der ganzen heiligen Inneneinrichtung beeindruckt, aber im Grunde fühlte ich mich wie ein Arbeiter, der an seine Drehbank zurückkehrt. Als ehemaliger Ministrant erwachte in mir auch diese Abneigung gegenüber ehemaligen Arbeitsplätzen.

Unterwegs zum Altar, wo es mich instinktiv hinzog, betrachtete ich lediglich ein bißchen die Tafeln an den Mauern, die man zu Ehren berühmter Männer angebracht hatte. Diese Tafeln waren nichts Neues, aber es ist immer wieder erstaunlich, wie viele berühmte Leute auf der Welt schon gestorben sind, ohne daß man je einmal ein Wort von ihnen gehört hat.

Als ich zum Altar kam, ging ich einmal um ihn herum und betrachtete ihn fachmännisch. Er hatte einen sehr soliden Sockel. Kein Mensch weiß, wie wichtig der Sockel am Altar ist. Und dieser hier war der beste, den ich jemals gesehen hatte. Überhaupt war alles an ihm westliche Qualität. Ich glaubte zwar nicht, daß es für Gott einen großen Unterschied machte, aber mein alter Pfarrer hätte so einen Sockel gerne gesehen. Er war überhaupt ein Materialist erster Güte. Die paar Monate, wo ich ihm während der Messe die Hostien hinterhertrug, lernte ich wirklich ein paar interessante Dinge. Er glaubte zum Beispiel überhaupt nicht an das Leben nach dem Tod. Er sagte, er hätte schon so vielen Arschlöchern die Letzte Ölung gegeben, daß die Vorstellung, sie könnten nach dem Tod weiterleben, ihm den Schlaf raubt. Er selber würde nach dem Tod lieber auch richtig tot sein als ein Geist. Denn ein Weiterleben ohne Körper ist für den Menschen eine Katastrophe. Man brauchte sich nur die armen Leute anzusehen, die bei einem Unfall eine Hand verloren haben. Sie kratzen sich noch nach Jahren an dieser Hand, weil sie immer noch juckt. Wie muß es erst jemanden jucken, wenn er den ganzen Körper verloren hat?

Nachdem ich den Altar und die Umgebung ausgiebig begutachtet und mich endgültig überzeugt hatte, daß Kirchen auf der ganzen Welt gleich sind, machte ich mich wieder aus dem Staub. Aber als ich am Ausgang vorbeiging, sagte jemand zu mir »Gott vergelt's«. Es klang, als hätte sich der Stephansdom für meinen Besuch bedankt. Es gab nun mal niemanden sonst, der das hätte sagen können. Als ich versuchte, es als eine

Halluzination abzutun, kam es plötzlich wieder: »Gott vergelt's.«

Ich sah vorsichtig nach oben. Wenn man keine andere Erklärung findet, blickt man zum Schluß immer dorthin. Als es aber zum dritten Mal kam, entdeckte ich endlich den Übeltäter. Neben dem Eingang stand eine quadratische Spendierdose aus Plexiglas. Wenn jemand Geld hineinwarf, sagte die Dose schlicht und ergreifend »Gott vergelt's«. Sie war bereits randvoll mit Geldscheinen aus aller Welt. Es lagen sogar ein paar Servietten von McDonald's darin, weil sich jemand an diesem »Gott vergelt's« nicht hatte satt hören können. Ich wollte auch gleich etwas hineinwerfen, aber leider hatte ich nur Geld dabei. Dann machte ich mich wieder auf den Weg. Dieses Ding hatte mir wirklich einen Schrecken eingejagt. Dabei wollte es nur höflich sein. Wie alles andere in Wien auch.

9

Nach diesem Erlebnis fand ich, daß ich für heute genug gesehen hatte, und ging endlich in das Kaffeehaus, auf das ich mich schon die ganze Zeit gefreut hatte. Ich wollte dort mein Touristendasein ausklingen lassen, weil ich schon ab nächster Woche Arbeit suchen mußte. Außerdem gab es keine bessere Gelegenheit, die fällige Ansichtskarte an meine Eltern zu schreiben.

Das Kaffeehaus hieß Aida, was mir um so mehr gefiel, weil es meine Schuldgefühle gegenüber dem Mozart-Jüngling von vorhin milderte. Ich ging hinein und suchte mir einen Tisch, von wo ich die Straße sehen konnte. Das ist eine Marotte von mir. Ich weiß gar nicht, woher ich sie habe, denn ich gehe so gut wie nie in Kaffeehäuser.

Im Aida war alles in Rosa. Die Wände, die Tische, sogar die Kellnerinnen verwendeten rosa Kugelschreiber. Da ich zum ersten Mal im Leben in einem westlichen Lokal war, wunderte ich mich, wie flink die Bedienung hier war. Die Kellnerinnen waren ständig unterwegs. Sie trugen riesige Tabletts mit Getränken und lächelten dabei, als wären es irgendwelche Jagdtrophäen, die sie gerade erbeutet hatten.

Die Kellner bei uns könnten sich hier wirklich was abschauen.

Es dauerte zehn Sekunden, bis eine Kellnerin an meinem Tisch stand. Sie hatte wie alle anderen eine rosa Schürze um und war nur ein bißchen älter als ich. Sie war nicht allzu hübsch, aber sie hatte eine Menge Sommersprossen im Gesicht, die ihr sehr gut standen. Sie wischte meinen Tisch ab und beugte sich dabei so tief, daß sie sich fast auf den Tisch legte. Sie leerte sogar den Aschenbecher aus. Ich bin keiner von diesen Nichtrauchern, die Raucher terrorisieren. Aber sie tat es einfach, ohne großes Theater zu machen.

Sie zückte ihren rosaroten Kugelschreiber und sagte: »Hallo, ich heiße Sylvia. Was hätten Sie gerne zu trinken?«

»Einen Tee«, sagte ich. Ich wollte eine Melange bestellen. Aber ich war wie weggetreten, weil sie sich mit Vornamen vorgestellt hatte. Sie hatte auch eine sehr nette Stimme. Überhaupt nicht gekünstelt oder so. Manche Mädchen reden so, als hätten sie dauernd ein unsichtbares Mikrophon vor sich.

Die Kellnerin notierte meinen Tee und fuhr sich mit dem Kugelschreiberende durch das Haar. Sie schob ihre Haarspange zurecht, die nach unten verrutscht war. Ich konnte sie tatsächlich kurz sehen. Sie hatte die Form eines Walfischs, der eine Wasserfontäne in die Luft spritzt.

»Möchten Sie auch etwas essen?«

»Ich hätte gerne ein Paar Frankfurter.«

Normalerweise benehme ich mich nicht wie ein Millionär, aber ich hatte seit dem Morgen nichts mehr in den Magen bekommen.

Sie schlug die Menükarte auf. »Wir haben nur Desserts und Eis. Suchen Sie sich was aus.«

Ich erblickte einen Haufen professionell fotografierter Torten und Eisdesserts. Plötzlich fiel mir ein, daß es eine gute Gelegenheit sei, ein besonderes Eisdessert zu probieren. Ich durchsuchte die Karte von oben bis unten, fand es aber nicht.

»Warum ist der Lipizzaner nicht drauf?« fragte ich.

Sie lächelte mich an, als wäre mir ein ganz guter Witz gelungen, und sagte: »Wäre ein bißchen zu groß für diese Karte, finden Sie nicht?«

Ich lächelte allwissend zurück. Aber innerlich schwor ich mir endgültig, Herrn Kuka nach meiner Ankunft zu erwürgen. Ich beugte mich über die Karte und zeigte auf eine ziemlich appetitlich aussehende Mehlspeise. »Dann nehme ich die da.«

»Eine Kardinalschnitte«, antwortete sie und notierte es, »wär das alles?«

»Im Moment ja, vielen Dank.«

»Alles klar.« Sie drehte sich um und ging hinter die Theke.

Sie war die netteste Kellnerin, die ich jemals gesehen hatte. Ich hätte gerne noch eine Weile mit ihr geplaudert und sie dabei gefragt, was ein Lipizzaner wirklich ist. Sie war bestimmt nicht der Typ, der einen gleich auslacht, wenn er etwas Selbstverständliches nicht weiß.

Leider wurde meine Kardinalschnitte von einer anderen gebracht. Sie hatte schwarz gefärbtes Haar und war reichlich affektiert. Sie erinnerte an eine dieser Singles, die man in den Fernsehtalkshows sieht. Sie war der Typ, der vor laufender Kamera mit der einen Hand ihrem Sitznachbarn das Knie tätschelt und mit der anderen die Erdnüsse vom Tisch ißt. Dauernd griff sie sich in ihr schwarz gefärbtes Haar. Als ich einfach meine Kardinalschnitte probierte, sandte sie mir einen Blick, als wäre ich der größte Rüpel, der jemals das Aida betreten hatte. Vielleicht wartete sie darauf, daß ich mich dafür bei ihr bedankte? Bei den Singles weiß man es nie genau.

Ich hielt noch eine Weile Ausschau nach der Kellnerin mit der Walfischhaarspange. Aber sie hatte hinter der Theke zu tun, und es sah nicht danach aus, als ob sie von dort so bald hervorkommen würde. Ich fand das ziemlich schade. Wenn wir schon nicht plaudern konnten, hätte ich ihr wenigstens gerne ein Trinkgeld gegeben. Sie war sicher auch keine Millionärstochter.

Ich zog die Ansichtskarte aus der Tasche und stellte sie gegen die Blumenvase, um sie nicht mit der Kardinalschnitte zu bekleckern. Als ich fertig war, nahm ich eine Serviette, um einen Text an meine Eltern zusammenzubekommen. Ich bin nämlich auch kein großer Schreiber und brauche immer mehrere Anläufe, um etwas halbwegs Intelligentes in die Welt zu setzen. Ich schrieb:

Liebe Eltern,

ich bin schon seit ein paar Tagen in Wien und habe mich inzwischen ganz gut eingelebt. Wien ist eine großartige Stadt, wobei ich noch nicht ganz weiß, ob es daran liegt, daß es die erste westliche Stadt ist, die ich gesehen habe, oder weil es Wien ist. Ich war ja noch nirgendwo sonst. Im Bus traf ich jemanden, der mir gesagt hat, daß ich hier kein leichtes Leben haben werde. Und ich denke, daß die Leute hier sehr schnell merken, wenn man zufrieden ist, und sie versuchen, diese Zufriedenheit zu zerstören, statt sich von ihr anstecken zu lassen. Trotzdem bin ich sehr zufrieden, um nicht zu sagen in einer Art Glücksgefühl. Und das schon seit ein paar Tagen. Ich weiß, daß es pathetisch klingt, aber es drückt die Sache am genauesten aus. Jetzt sitze ich zum Beispiel allein in einem Wiener Kaffeehaus in der Innenstadt, atme die gleiche Luft wie die reichen Westler und esse eine köstliche Mehlspeise. Es gefällt mir hier, obwohl ich spüre, daß es nicht Wien und nicht einmal der Westen ist, was mir gefällt. In meiner ersten Nacht machte ich etwas Merkwürdiges. Ich stieg in einen Springbrunnen und schmiegte die Wange an den Marmorbauch einer Statue. Fragt nicht, wieso, ich weiß es nicht. Es war ein Reflex. Aber seitdem bin ich in dieser guten Laune. Und sosehr ich am Anfang diese Reise wegen des Westens gemacht habe, so sehr will ich jetzt den Grund für diese gute Laune erfahren.

Ich übernachte übrigens auf einer Parkbank, weil Herr Kuka tatsächlich gelogen hat. Der Bus war auch kein Luxus, sondern eine Art fahrender Kühlschrank, und Herrn Kukas Glücksbringer hätte mich fast hinter Gitter gebracht. In Kürze schicke ich eine weitere Karte. Genießt inzwischen umseitig die Sehenswürdigkeiten Wiens.

Euer Waldemar

PS: Wußtet Ihr, daß die Ansichtskarten hier billiger sind als Briefmarken?

Ich überflog meinen Text und fragte mich, ob ich nicht etwa den Verstand verloren hatte. Wenn meine Eltern das lasen, würde zwei Tage später mein Vater vor meiner Parkbank stehen und mich nach Hause holen. Ich nahm eine neue Serviette und schrieb einen neuen Text:

Liebe Eltern,

die Reise verlief ohne Zwischenfälle und in anregender Gesellschaft. Ich hatte das Glück, mit den Mitgliedern der polnischen Philharmonie zu reisen. Ich glaube, sie werden in Wien ein großes Konzert geben. An der Grenze verwickelte ich den österreichischen Zöllner in ein kurzes Gespräch über die Lage der polnischen Wirtschaft. Er war sehr angetan von meinem ausgezeichneten Deutsch! Nach meiner Ankunft hatte ich mich in dem Hotel Vier Jahreszeiten einquartiert und dachte wärmstens an Herrn Kuka zurück. Sein Glücksbringer hat mir von Anfang an Glück gebracht. Ich kenne Wien inzwischen wie meine Westentasche und fühle mich schon ein bißchen wie ein echter Wiener. Ich schreibe Euch diese Karte aus einem berühmten, traditionsreichen Wiener Kaffeehaus, wo ich von drei Kellnern auf einmal bedient werde. Bald begebe ich mich auf Arbeitssuche, um meine Finanzen aufzubessern, obwohl das gar nicht nötig wäre. Aber Ihr kennt mich ja. Ein kleines Polster in Ehren kann niemand verwehren, wie die Wiener sagen. Bis zum nächsten Mal.

Euer Sohn Waldi

Die Version gefiel mir schon besser. Insbesondere die Anspielung auf meine baldige Arbeitssuche. Ich hätte doch nicht schreiben können, daß ich nur noch vierhundertsechzig Schilling hatte. Und da war die Kardinalschnitte noch nicht eingerechnet.

10

Meine Berufsvorstellungen waren immer schon ziemlich vage. Sie begannen bei einem Zoodirektor, gingen nahtlos in einen Briefträger über und reichten bis zu einem Ziegenhirten.

In Wirklichkeit bedeutete das nur, daß ich bereit war, so ungefähr jeden Job auf diesem Planeten anzunehmen, nur um an Geld heranzukommen. Zu diesem Zweck studierte ich auch jeden Morgen über meiner Thunfischkonserve die Kronenzeitung. Dieses Nachrichtenblatt, aus dem ich unter anderem erfuhr, daß Wale vor dem Liebesakt im Kreis schwimmen und daß der älteste Mann der Welt seine Langlebigkeit einer gekochten Banane zum Frühstück verdankt, war gespickt mit Jobanzeigen.

Meine erste Begegnung mit der westlichen Arbeitswelt fand in einer Fleischerei statt. Ich bin kein großer Fleischanhänger, ich bin eigentlich ein angehender Vegetarier, aber als ich diese Anzeige entdeckte, hatte ich das Gefühl, daß ich es dort als allererstes versuchen sollte. Man suchte nämlich nach einem »jungen, dynamischen Wurstverkäufer«. Ich war vielleicht nicht dynamisch, aber ich war bestimmt jung, und mit meinen vierhundert Schilling in der Tasche konnte man mich ruhig als flexibel bezeichnen. Der Wurstbetrieb lag im vierzehnten Bezirk. Als ich dort ankam, stellte sich heraus, daß das Wurstgeschäft auch nicht so dynamisch war, wie es tat. Es war ein kleiner Laden mit Milchglasscheiben, über dem die Aufschrift WÜRSTE ALLER ART. GEBRÜDER WLACEK angebracht war.

Als ich den Laden betrat, fand ich mich in einem Raum von der Größe eines halben U-Bahn-Waggons. Die Wände waren gelblich und mit Hunderten von Haken versehen, an denen Würste und Fleischstücke hingen. Schimanski hätte sich hier bestimmt wohl gefühlt, denn es roch stark nach geräucherter Wurst. Zwischen zwei Wurststangen am Fenster hing das Bild des österreichischen Bundespräsidenten, um den eine Schar von Fliegen herumsurrte. Darunter stand ein fünfzigjähriger Fleischhauer in einer blutigen Schürze und schneeweißem Haar. Er drosch auf ein Stück Fleisch ein, als wollte er es umbringen. Er hatte nicht einmal mein »grüß Gott« gehört. Ich weiß nicht, wie lange ich noch so gestanden hätte, wenn nicht aus einem Nebenraum ein zweiter Fleischhauer gekommen wäre. Er sah identisch aus wie der erste. Er war bloß etwas jünger und hatte noch nicht diese Konzentration im Gesicht, die man offenbar vom jahrelangen Schnitzelhacken bekommt.

Er wischte sich die Hände an der Schürze ab und kam zu mir an den Ladentisch. »Was darf's denn sein, junger Herr?« fragte er höflich.

Wie alle in Wien sprach er diesen Dialekt, dessentwegen ich anfangs befürchtete, daß mein ganzer Deutschunterricht umsonst war.

»Grüß Gott. Ich komme wegen der Anzeige«, sagte ich.

An diesem Satz hatte ich während der gesamten U-Bahn-Fahrt gefeilt.

Der Fleischhauer wischte sich noch einmal die Hände ab und runzelte die Stirn. »Sind Sie vom Magistrat?«

»Es geht um die Anzeige aus der Kronenzeitung.«

»Ach so, das. Na, da reden Sie am besten mit meinem Bruder. Er ist nämlich der Chef bei uns.«

Er brüllte den Fleischhauer im schneeweißen Haar an, als müßte er ihn erst aufwecken. »Roland, kommst du bitte mal! Ich glaub, es geht um die Lehrlingsstelle.«

Der ältere Fleischhauer legte wie in Zeitlupe seine Axt nieder und setzte sich in Bewegung. Ein paar Fliegen lösten sich vom Bild des österreichischen Bundespräsidenten und setzten sich auf seine blutverschmierte Schürze. Er machte nicht die geringste Bewegung, um sie zu vertreiben.

»Grüß Gott. Darf ich fragen, wie alt Sie sind?«

»Fünfundzwanzig«, log ich. Ich wollte ihn nicht mit meiner Jugend erschrecken.

»Bisserl alt, aber macht nix«, sagte er. »Wissen Sie, wir suchen da nämlich wen, der das länger macht. Am liebsten hätten wir einen jungen Burschen für mindestens ein Jahr. Es braucht nämlich seine Zeit, um alles richtig zu lernen, und die Kunden in unserem Bezirk sind sehr wählerisch.« Er sah zu seinem Bruder. »Gelt, Anton?«

»Die lassen leider kein Gramm Fett durchgehen«, bestätigte dieser.

Ich stellte mir vor, wie ich ein Jahr lang neben den Wlacek-Brüdern Schweinsschnitzel hackte. Mit einer Million Fliegen um den Kopf und dem professionellen

Händchen eines Killers. Es gelang mir nicht. Aber mit vierhundert Schilling in der Tasche war ich flexibel.

»Ich bin sicher, ich könnte es einrichten«, sagte ich.

Auf einmal stutzte er und sah mich durchdringend an: »Sie sind aber kein Wiener, was? Man hört's nämlich ein bisserl durch.«

»Nein, nicht direkt.«

Ich hielt mich eisern an Herrn Kukas dritte Lektion. Nur unter der Folter zugeben, woher man kam.

Der Fleischhauer runzelte die Stirn. Das lag wohl in der Familie. Dann wurde er auf einmal ausnehmend höflich: »Na, schaun Sie, es geht nicht drum, daß wir was gegen Außenstehende hätten. Meine eigene Oma kommt selber von irgendwo da unten. Es geht drum, daß Sie als Ausländer kein Gesundheitszeugnis kriegen. Und ohne das können Sie nicht einmal ein Gramm Schnitzel in die Hand nehmen. Das ist ein Teufelskreis, wissen Sie, was ich meine?«

»Und ohne Gesundheitszeugnis ginge das nicht? Nur für eine Woche zum Beispiel?«

»Um Gottes willen! Wissen Sie, was der Magistrat dann macht? Die machen Hackfleisch aus mir. Aber das ist ja noch nichts verglichen mit dem, was die mit Ihnen machen. Sie werden abgeschoben in den Ostblock. Schlagen Sie doch nur die Kronenzeitung auf. Da werden täglich unschuldige Ausländer abgeschoben, bevor sie bis drei zählen können. Das ist leider jetzt so bei uns. Ist eine richtige Schande, wenn Sie mich fragen, aber es geht ja auch um Ihre Sicherheit.«

»Und wenn ich das Risiko auf mich nehme?«

»Darum geht es nicht. Wollen will ich Sie schon, aber können kann ich nicht.«

»Und wenn ich ein Gesundheitszeugnis besorgen würde?«

»Na dann sofort! Was glauben Sie? Wir sind ja keine Fliegenfänger. Sobald Sie mir eins bringen, können Sie gleich bei mir anfangen, und Anton zeigt Ihnen gleich als erstes, wie man die Würschtl am Haken aufhängt, gelt, Anton?«

Anton nickte finster.

Der ältere Fleischhauer zeigte den Holzblock hinter ihm.

»Und jetzt seien Sie mir nicht bös, aber das Fleisch wird kalt, wie man das bei uns fachmännisch sagt. Kommen Sie wieder, wenn Sie das Zeugnis haben. Ich werde einen Platz für Sie freihalten, in Ordnung?«

Er sah mich freundlich an und ging wieder an seinen Holzblock. Zwei Sekunden später erfüllte rhythmisches Hacken den Raum.

Anton, der jüngere Wlacek-Bruder, beugte sich über den Ladentisch zu mir und winkte mich zu sich heran: »Hören Sie. Der nimmt Sie nicht, auch wenn Sie mit zehn Gesundheitszeugnissen kommen. Ich kenn ihn, und ich weiß das.«

»Warum?«

»Wenn ich das wüßte, wär ich jetzt Millionär, verstehen Sie? Und ich wär gern Millionär, glauben Sie mir das.«

»Wer wäre nicht gerne ein Millionär?«

»Also dann auf Wiederschaun, junger Mann. Probieren Sie es lieber woanders. Das ist nur Zeitverschwendung bei ihm.«

Er drehte sich um und ging schweigend an seinem Bruder vorbei in den Raum, aus dem er gekommen war. Roland der ältere hatte inzwischen über seinem Schnitzel alles ringsum vergessen. Ich machte mir nicht einmal die Mühe, ihm auf Wiedersehen zuzubrüllen, weil er so weggetreten war.

Als ich auf der Straße stand, stellte ich fest, daß ich schweißnaß war. Obwohl der Laden eine Klimaanlage hatte, war es dort heiß wie in der Sauna. Vielleicht war es gut so, daß sie mich nicht genommen hatten. Irgendwie hatte ich das unbestimmte Gefühl, daß ich ein ganz miserabler Wurstverkäufer geworden wäre.

Von nun an hielt ich mich nicht nur eisern an Herrn Kukas dritte Lektion, ich gab mich aus als Ausländer aus Holland oder Italien. Die Wiener konnten nur Wiener von Nichtwienern unterscheiden. Ansonsten tappten sie im dunkeln. In den nächsten Tagen lernte ich auch etwas flexibler mit meinen Fähigkeiten umzugehen. Suchte man einen fünfundzwanzigjährigen Büroboten mit Englischkenntnissen, war ich auch unter den Kandidaten. Brauchte man einen Maturanten mit Führerschein, ging ich hin. Wenn es sein mußte, raffte ich mich sogar dazu auf, blind Maschine zu schreiben und einen Gabelstapler zu fahren. Mein Alter stieg und sank je nach Bedarf wie ein Barometer. Ich war bald so qualifiziert, daß ich bequem eine Firma hätte führen können. Im Laufe der ersten Woche versuchte ich achtundzwanzigmal Kellner, siebzehnmal Zettelverteiler und dreimal Saunaaufgießer zu werden. Während der Vorstellungsgespräche war man sehr freundlich zu mir. In einem Gasthaus wurde ich sogar vom Chef auf einen Topfenstrudel eingeladen, und in einem Reisebüro schenkte man mir einen

Wandkalender mit Südseemuscheln. Nur Arbeit gab man mir nirgends. Früher oder später blickte der Chef nach unten und verstummte, als hätte er eine lebende Schlange erblickt. Wenn er dann wieder aufsah, war es vorbei mit meinem Job. Es gab keinen Zweifel. Irgend etwas verriet mich immer.

Obwohl ich den Grund ziemlich schnell erahnte, brauchte ich eine Weile, um es auch wirklich zu glauben. Ich konnte einfach nicht wahrhaben, daß es an zwei lächerlichen Schuhen lag. Gewiß, es waren Ostblockschuhe, und der schwarze Rand machte sie nicht gerade ästhetischer. Aber man konnte sie jederzeit wechseln, was man von einem Menschen nicht sagen konnte. Allerdings war das leichter gesagt als getan. Idiotischerweise hatte ich kein zweites Paar mitgenommen, und mein Geld reichte inzwischen höchstens für einen Schuh. Und das höchstens im Ausverkauf. Aber wenigstens verstand ich jetzt, was die Blondine im Bus damit meinte, daß ich es hier nicht leichthaben würde.

Aber ausgerechnet in dem Augenblick, als ich hinter diese Entdeckung kam, passierte etwas, was das Faß zum Überlaufen brachte und meinen ganzen Aufenthalt in eine zweifelhafte Richtung lenken sollte. Am Ende der Woche las ich eine Anzeige, wo man in einem Frisiersalon eine Aushilfsstelle anbot. Der Frisiersalon lag in der Innenstadt hinter dem Stephansdom. Ich ging dort gleich nach dem Frühstück hin, so daß der Salon noch menschenleer war, als ich dort eintrat. Nur in der Ecke kehrte ein Lehrling in einem weißen Mantel einen Berg.von Haaren zusammen.

»Grüß Gott. Ich komme wegen der Anzeige. Ist der Chef vielleicht zu sprechen?« fragte ich.

Der Lehrling stellte seinen Besen an die Wand und verschwand im Nebenraum. Ich sah mich um. Der Salon war wirklich das Gegenteil von Wlaceks dynamischem Betrieb. Es duftete hier nach Shampoos und Parfüms. In der Mitte standen vier sündhaft teure und bequeme Lederstühle. Neben jedem standen ein Waschbecken und ein merkwürdig geformtes Tischchen. Überall lagen eine Menge Föne und Kämme. Es war ein piekfeiner Laden. An den Wänden hingen große Plakate von berühmten Models, und darunter stand immer derselbe Satz: »Mein Lieblingscoiffeur heißt...« Hier folgte ein Name, der sehr exotisch klang. Das einzige, was ich vermißte, waren Scheren. Aber dann fiel mir ein, daß Friseure sich niemals von ihren Scheren trennen und sie sogar unter die Dusche mitnehmen. Das ist eine Marotte von ihnen.

Aus dem Nebenraum kam wieder der Lehrling heraus, und hinter ihm erschien ein älterer Herr in einem weißen Mantel. Das war der Chef. Chefs erkannte ich inzwischen auf einen Kilometer. Er hatte einen dünnen Schnurrbart, eine Brille mit goldenem Rand und kurzgeschorenes graues Haar. Unter seinem Mantel trug er Anzug mit Krawatte.

»Guten Tag. Was kann ich für Sie tun?« fragte er. Er war der erste Wiener seit langem, der keinen Dialekt sprach.

»Grüß Gott. Ich bin nur wegen der Anzeige gekommen. Der aus der Zeitung«, sagte ich.

»Ach so. Bitte, nehmen Sie doch Platz.« Er zeigte auf den Lederstuhl, der für Kunden gedacht war.

»Erich, holen Sie mir einen Schemel aus dem Nebenraum«, sagte er zu seinem Lehrling. Er hatte wirklich das Wort Schemel gebraucht. Ich wußte nicht, was es war, aber es klang ganz schön vornehm. Der Lehrling brachte den Schemel mit Lichtgeschwindigkeit und stellte ihn neben den Lederstuhl. Es zeigte sich, daß der Schemel ein gewöhnlicher Hocker war.

Wir nahmen Platz.

»Sie wären also an der Stelle eines Friseurlehrlings interessiert? Darf ich fragen, wie alt Sie sind?«

»Vierundzwanzig.«

»Mhmhm. Sie sehen jünger aus. Haben Sie schon Erfahrungen in unserer Branche gesammelt?« Er sah lächelnd auf mein kurzgeschorenes Haar. »Bis auf die üblichen Besuche natürlich.«

»Offen gestanden nein.«

»Ein ehrlicher Standpunkt. Gefällt mir.«

Er verstummte und betrachtete mich. Er ließ sich viel Zeit damit. Er studierte mich wie ein gottverdammtes Buch. Sicherheitshalber schob ich die Beine unter den Stuhl, damit sich der Blick auf meine Schuhe nicht negativ auf seine Studien auswirkte.

Der Chef schmunzelte: »Darf ich Sie fragen, was Sie für ein Landsmann sind?«

»Wieso ist das so wichtig?« fragte ich, um Zeit zu gewinnen. Ich schwankte noch zwischen einem Schotten und einem Italiener.

»Weil ich das Gefühl nicht loswerde, daß Sie Franzose sind. Ich müßte mich schon sehr irren, oder?«

Das war eine Chance, die ich nicht ein zweites Mal bekommen würde. Ich sagte: »Nein. Tatsächlich. Wie haben Sie das nur erraten?«

»Sie sprechen ausgezeichnet deutsch, aber der Akzent ist da.« Er lächelte. »Und Sie wissen, wie das bei uns ist. Sie können dem Wiener alles vormachen, nur den Akzent nicht. Manchmal glaube ich fast, daß wir ihn erfunden haben, damit sich kein Fremder in unsere Reihen einschleicht. Aber ich habe nichts gegen Fremde. Im Gegenteil. Und für Franzosen habe ich sowieso eine große Schwäche.«

»Tatsächlich?«

»Ich habe vor Jahren in Paris gewohnt. Das werde ich nie vergessen. Übrigens, was halten Sie davon?« Er spitzte die Lippen. »Mon chien ne mange rien!«

»?«

»War das wirklich so schlecht? Tja, man rostet schneller ein, als man denkt.«

»Nein, nein. Es war viel besser als mein Deutsch. Allerdings hätte Sie auch Ihr Akzent verraten.« Ich wollte ihn um keinen Preis aufmuntern, weiter französisch zu sprechen.

Der Chef lächelte, als hätte er meine Absicht verstanden. »Darf ich fragen, wie Sie heißen?«

»Waldemar.«

Er verstummte und legte die Hände in den Schoß. »Na schön. Dann fasse ich noch einmal alles zusammen, Waldemar. Sie sind vierundzwanzig, kommen aus Frankreich und würden gerne bei mir arbeiten. Sie haben keine Erfahrung in der Branche, aber Sie würden, wie man so sagt, mit Leib und Seele dabeisein. Habe ich nichts ausgelassen?«

»Ich glaube nicht.«

»Also, bevor ich meine Entscheidung mitteile, möchte ich, daß Sie sich im klaren darüber sind, daß die Arbeit eines Friseurlehrlings nicht so einfach ist, wie es scheint. Erich kann davon ein Lied singen, nicht wahr, Erich?«

Der Lehrling nickte zum Zeichen, daß er davon ein Lied singen konnte.

»Man muß früh aufstehen und oft spät schlafen gehen. Es fällt auch eine Menge Arbeit an, die mit der Raumpflege zu tun hat. Ist Ihnen das klar?«

Mein Herz begann schneller zu schlagen. »Voll und ganz.«

»Wir legen auch viel Wert auf Kundenbetreuung. Der Friseur ist längst kein gewöhnlicher Haarabschneider mehr wie früher. Er ist manchmal auch eine Art Beichtvater, bei dem sich die Kunden über ihre Probleme aussprechen wollen. Können Sie mir folgen?«

»Natürlich.«

»Na schön. Ich kann natürlich nicht längerfristig etwas versprechen, aber was ich jetzt so sehe, und ich habe ein gutes Auge, was Menschen angeht, könnte ich mir unter gewissen Umständen vorstellen, Sie bei uns anzustellen. Für eine Probezeit von, sagen wir, einem Monat?«

Es verschlug mir die Sprache. Ich brachte nicht einmal ein Dankeschön heraus.

Der Chef lächelte nachsichtig. »Überrascht?«

»Doch, sehr.«

»Aber warum?« neckte er mich. »So ein netter junger Mann müßte leicht eine Arbeit bekommen.«

»Ich fürchte, eher das Gegenteil ist der Fall.«

»Wie auch immer. Das Problem ist jetzt gelöst.« Er machte eine ausladende Handbewegung. »Wenn Sie wollen, dann kann das Ihr neues Zuhause werden. Wie gefällt Ihnen übrigens mein Salon?«

Ich sah mich staunend um, als hätte ich ihn gerade betreten. »Sehr gut. Wirklich prima.«

»Schön. Und jetzt, wo wir uns einig sind, muß ich Ihnen noch ein paar Dinge über unseren Salon verraten. Dazu müßte ich Ihnen eine persönliche Frage stellen. Ich würde liebend gerne wissen, ob Sie tolerant sind. Sie verstehen?« Er zeigte auf meine Brust. »So tief in diesem Herzen.«

»Wenn man auf Arbeitssuche ist, lernt man schnell Toleranz und Demut.«

»Das ist sehr klug, was Sie da sagen, Waldemar. Wirklich sehr klug.« Er wandte sich an den Lehrling, der dem Gespräch gespannt zuhörte. »Du könntest einiges von Waldemar lernen, Erich.«

Dann sah er wieder zu mir. »Es geht darum, daß unser Salon nicht nur einer der besten in der Stadt ist, sondern sich auch eines gewissen Renommees erfreut. Ich würde mir wünschen, daß Sie uns bei der Pflege dieses Renommees helfen.«

»Sehr gerne. Ich werde alles tun, was Sie wünschen«, sagte ich.

In diesem Augenblick geschah etwas Eigenartiges. Erich, der Lehrling, gab ein Gekicher von sich. Es klang schauderhaft. Der Chef bestrafte ihn mit einem strengen Blick und sah mich entschuldigend an. Aber plötzlich tauchte in seinem Gesicht eine rätselhafte Wachsamkeit auf. Ich lächelte zurück und sah mich diskret um. Mein Blick fiel in den Spiegel, und ich sah mein eigenes Gesicht. Ich erschrak, wie sehr mich die letzten zwei Wochen verändert hatten. Meine Wangen waren eingefallen, und ich hatte mit meiner Stoppelglatze fast eine Verbrechervisage. Jedenfalls sah ich bestimmt nicht wie ein Franzose aus, sondern viel mehr wie einer, der aus Verzweiflung einen Franzosen mimt, um einen Job zu bekommen. Ein merkwürdiger Verdacht schoß durch meinen Kopf. Was, wenn der Chef wußte, daß ich kein Franzose bin? Was, wenn er sich von Anfang an absichtlich so naiv gestellt hatte? Warum wollte er mich trotzdem nehmen? Und was bedeutete dieses Gerede von Toleranz und dem rätselhaften Renommee? Hier stimmte etwas nicht. Mein Blick fiel auf den Lehrling Erich. Auf seinen Lippen blühte die ganze Zeit ein merkwürdiges Lächeln vor sich hin. Und dann bemerkte ich über Erichs Kopf ein Plakat. Es zeigte einen Jüngling, der Erich ein bißchen ähnlich sah. Ich betrachtete das Plakat daneben. Auf allen Plakaten waren Jünglinge abgebildet, und auf ihren Lippen blühte genauso ein Lächeln wie auf Erichs.

Plötzlich wußte ich, warum man mich hier haben wollte. Ich bekam so einen Schrecken, daß ich nur noch auf die Straße wollte.

Ich rieb mir die Stirn und sagte: »Wann soll ich eigentlich anfangen?«

»Oh, ich dachte, Sie fangen noch heute an. Jetzt gleich«, sagte der Chef, ohne die Augen von mir zu lassen.

»Verstehe. Dürfte ich noch vorher schnell mein Auto umparken?«

»Sie haben ein Auto, Waldemar?«

»Es gehört eigentlich meinen Eltern. Sie werden wütend sein, wenn man mir einen Kratzer hineinmacht.«

»Hier macht Ihnen niemand einen Kratzer rein. Lassen Sie es, wo es ist.«

»Aber ich stehe in der zweiten Reihe.«

»Waldemar, wir wissen doch beide, daß Sie kein Auto haben. Hören Sie also mit diesem Unsinn auf, und benehmen wir uns wieder wie erwachsene Menschen.«

Ich war schon fast an der Tür.

»Waldemar, wenn Sie jetzt durch diese Tür gehen, brauchen Sie nicht wiederzukommen. Überlegen Sie sich das bitte, mein Junge.« Er sah mich mit einer gewissen Traurigkeit an.

»Tut mir leid. Tut mir wirklich schrecklich leid. Aber ich kann nicht. Ich kann einfach nicht.«

Und dann war ich draußen. Ich mußte mich mit aller Kraft zurückhalten, um nicht gleich loszulaufen. Ich wollte nicht, daß es nach Flucht aussah. Aber es war eine Flucht. Eine ganz kindische Flucht, gegen die ich machtlos war. Sobald ich die Straßenecke erreicht hatte, beschleunigte ich wie ein Rennwagen, und ich brach in den nächsten fünf Minuten alle Rekorde. Erst ein paar Häuserblocks weiter blieb ich stehen, um zu verschnaufen. Ich lehnte mich gegen die Mauer und starrte meine Schuhe an. Ich war ihnen so dankbar, daß ich beinah laut »danke schön« gesagt hätte. Aber dann wurde ich ganz deprimiert. Ich fühlte mich schäbig, weil ich wie ein kleiner Junge weggelaufen war. Ich hatte gerade den einzigen Job, den man mir in Wien angeboten hat, ausgeschlagen.

In diesem Augenblick erblickte ich auf der anderen Straßenseite einen Billa-Laden und verlor endgültig die Beherrschung. Ohne lange nachzudenken, marschierte ich hinüber und betrat ihn. Ich ging gleich zu den Tiefkühlregalen, wo die teuersten Sachen standen. Ganz oben lagen Lachs und Kaviar. Ich nahm eine Dose Kaviar herunter und steckte sie mir hinter den Hosengürtel unter das Hemd. Ich schaute nicht einmal nach, ob mich dabei jemand sah. Dann ging ich wieder Richtung Ausgang.

An der Kasse blieb ich stehen und zeigte der Kassiererin die Hände zum Zeichen, daß ich nichts bei mir hatte. Das sah furchtbar verdächtig aus. Man mußte wirklich blind sein, um nicht zu sehen, daß ich was mitgenommen hatte.

Die Kassiererin sah von der Kasse auf. Ich werde diesen Blick nie vergessen. Sie wußte alles. Sie wußte, woher ich kam, was mir gerade beim Friseur widerfahren war. Es stand einfach in ihren Augen. Sie beugte sich etwas nach vorn, um zu sehen, ob mich noch jemand gesehen hatte. Dann flüsterte sie: »Laß dich nie wieder blicken!«

Ich trottete wie ein Lamm zum Ausgang. Gut, daß er sich von selbst öffnete, sonst wäre ich mit dem Kopf dagegen gerannt. Ein paar Häuserecken weiter suchte ich mir die erstbeste Bank und setzte mich. Wenigstens war in Wien immer eine Bank zur Stelle, wenn man sie brauchte. Die Kassiererin ging mir nicht aus dem Kopf. Sie hatte nicht auf deutsch zu mir gesprochen. Und außer Deutsch kannte ich nur noch eine Sprache. Es war kaum zu fassen. Ich hatte unter Tausenden von Kassiererinnen in Wien eine Landsfrau erwischt. Ich holte die Kaviardose hervor und betrachtete sie. Es war die eleganteste Dose, die ich je in der Hand gehalten hatte. Kein Vergleich zu meinem Thunfischzeug.

Ich warf sie mit Bedauern in die Mülltonne, die gleich neben der Bank stand. Sie fiel mit so einem Riesenkrach hinein, daß ich fast vom Sitz sprang. Aber das war ich ihr schuldig. Außerdem hätte ich vermutlich sowieso kein bißchen davon herunterbekommen. Ich brauchte sie gar nicht zu probieren, um zu wissen, daß ich entgegen dem, was man über meine Leute behauptete, ganz und gar nicht zum Stehlen geboren war.

11

Danach verlor ich endgültig die Scheu vor dem Arbeiterstrich. Die Frau mit der Nagelfeile hatte mich zwar davor gewarnt, aber nach dem, was ich inzwischen erlebt hatte, kam er mir eher wie ein Picknick vor. Ein paar Landsleute bei der polnischen Kirche klärten mich auf, daß man dort nichts zu machen brauche, außer zu warten. Der Job würde selber zu einem kommen, während man gemütlich in der Sonne herumlümmelte. Das hörte sich eher nach einem Paradies an als nach einem Ort, den man meiden sollte, und ich fuhr dort gleich am nächsten Tag hin. Da der Arbeiterstrich außerhalb der Stadt in einer Ortschaft namens Gerarsdorf lag, mußte ich zum ersten Mal mit der Schnellbahn fahren. Im Vergleich dazu war die U-Bahn eine Boutique. Der einzige Vorteil an der Schnellbahn war, daß in jedem zweiten Waggon eine Art Kantine mitfuhr, in der der Schaffner saß und jede zweite Station die Fahrscheine überprüfte. Wenn man sich darauf einstellte, sparte man reichlich Nerven und mußte nicht dauernd so auf der Hut sein wie in der U-Bahn.

Ansonsten war die Fahrt in so einem Schnellbahnwaggon wirklich ein Aufmunterer. Wir fuhren die meiste Zeit durch Fabrikhinterhöfe und Arbeitersiedlungen. In jeder Station stiegen mindestens hundert neue Arbeiter zu, die nichts anderes im Kopf hatten, als einen Sitzplatz zu ergattern. Wenn sie endlich einen Sitz erwischt hatten, setzten sie sich darauf wie auf einen Thron und legten sich ihre Koffer auf den Schoß. Diese Arbeiterkoffer waren allesamt aus kirschrotem Leder und sahen furchtbar elegant aus. Wenn ihre Besitzer sie dann aufmachten, kamen jedoch keine Diamanten, sondern eine Wurstsemmel und die unschlagbare Kronenzeitung hervor.

Während die Arbeiter Artikel über liebestolle, im Kreis herumschwimmende Wale lasen, hingen über ihren Köpfen eine Menge Plakate, die wirklich sehenswert waren. Sie warben entweder für eine Lebensversicherung oder für ein Reisebüro. Aber eins stach wirklich hervor. Es stand darauf in fetten Lettern gedruckt: ZECKEN KENNEN KEINEN UNTERSCHIED.

Darunter waren die Fotos von Leuten abgebildet, die mit einer Zecke in nähere Berührung gekommen waren. Sie sahen drein, als wären sie nicht einem kleinen Insekt, sondern einem Dinosaurier begegnet. Das sah im ersten Moment ganz schön lächerlich aus, aber je länger ich dieses Plakat ansah, desto mehr bekam ich Lust, mich gegen diese Zecken impfen zu lassen.

Gegen Ende der Fahrt passierte etwas, was mich noch mehr aufmunterte. Eine Station vor Floridsdorf stieg ein Irrer in unseren Waggon ein. Wien ist voll von Irren, die mit hundert Plastiktüten oder einem Blumenkranz auf dem Kopf durch die Gegend laufen. Sie sind eigentlich ganz harmlos. Sie riechen nur ziemlich penetrant. Wenn so ein Irrer in der U-Bahn bei einer Tür einsteigt, steigt gleich bei der anderen der ganze

Waggon aus. Aber in der Schnellbahn waren die Leute offenbar nicht so zart besaitet. Der Irre stellte in aller Ruhe seine Taschen in der Ecke ab und begann herumzugehen und den Leuten die Frage zu stellen: »Hast du schon eine Taube gefressen? Hast du schon eine Taube gefressen?«

Niemand war so verrückt, darauf zu antworten. Nur ein Halbwüchsiger mit einem Pickelproblem sagte leichtsinnigerweise, daß er schon mehrere Tauben gefressen hätte.

Der Irre begann darauf mit den Armen herumzufuchteln und zu brüllen: »Dann freß ich jetzt dich, du Scheißtaube, du blöde!«

Der Halbwüchsige tat so, als wäre nichts geschehen. Aber man mußte sein Gesicht sehen. Der würde nie mehr zu einem Irren ja sagen.

Ich war ganz schön froh, als endlich meine Station kam. Diese ganze Fahrt war wirklich ein kleiner Aufmunterer. Bevor ich jemals wieder in eine Schnellbahn steige, nehme ich lieber ein Taxi. Auch wenn ich dafür mein letztes Geld ausgeben müßte.

Um den Arbeiterstrich zu erreichen, mußte ich stadtauswärts gehen. Ich lief eine Viertelstunde auf einem schmalen Seitenstreifen, bis die Straße eine Kurve machte und vor mir ein großer Parkplatz auftauchte. Es gab dort kein Auto, dafür aber einen Haufen Mülltonnen auf Rädern, die man schon von weitem riechen konnte. Davor standen ein paar Männer, die mir nach Landsleuten aussahen. Sie hatten graue Pullis und Jeans an und beratschlagten wie immer etwas. Ich war nicht überrascht, Landsleute hier anzutreffen, als ich aber nah genug war, um ihre Gesichter erkennen zu können, blieb ich wie von einer Gewehrkugel getroffen stehen. Denn das waren nicht irgendwelche Landsleute, sondern Arnold und seine Männer.

Normalerweise wäre ich gleich umgekehrt und in mein schönes Belvedere geflohen, aber so einen Luxus konnte ich mir nicht leisten.

Je näher ich kam, desto neugieriger wurde ich auch, was die hier eigentlich machten. Sie waren von Beruf Schmuggler und keine Arbeiter. Auch bei ihnen mußte etwas gründlich danebengegangen sein. Als ich ganz nah war, schnappte ich ein paar Brocken von ihrem Gespräch auf: »Wenn es sein muß, nehmen wir seinen Scheißbus auseinander«, und: »Das wäre das erste Mal, daß sich Zigarettenstangen in Luft auflösen.« Offenbar war ich also nicht der einzige, der in letzter Zeit Pech gehabt hatte.

Plötzlich bemerkte mich einer der Männer. Es war Arnolds rechte Hand. Ich erinnerte mich gut an ihn, weil er als einziger keine Jeans trug. Er zeigte auf mich und rief: »Na so was. Seht mal, wer da ist!«

Die anderen drehten sich um und starrten mich an. Meine letzten Zweifel schwanden. Es war die ganze Truppe inklusive Anführer.

Arnold trat vor und fragte seine rechte Hand: »Wer ist das? Kennst du ihn?«

»Das ist der Komische aus dem Bus. Du weißt schon. Der, mit dem du einen auf den Zöllner gekippt hast.«

»Wenn ich mich an alle erinnern würde, mit denen ich einen gekippt habe, bräuchte ich einen Computer.«

Arnold betrachtete mich mit dem Blick eines Mannes, der sich höchstens an den gestrigen Tag erinnert. Aber dann grinste er: »Du bist ganz schön abgemagert, du kleiner Schleimer. Was suchst du hier überhaupt?«

Ich breitete die Arme aus. »Nun. Ich war im Prater, im Stephansdom und fast in der Oper. Da dachte ich, ich schau auch mal beim Arbeiterstrich vorbei.«

Ein paar Leute lachten. Nur Arnold verzog keine Miene: »Warum sagst du nicht gleich, daß dein Arsch brennt wie eine Scheune. Jetzt auf einmal sind wir für dich gut genug. Und das schmeckt dir nicht, was?«

Ich wollte ihn im Gegenzug fragen, was er hier machte. Schließlich war mein Arsch nicht der einzige, der brannte. Aber das verkniff ich mir. Er war immer noch Arnold, und ich war noch immer eine halbe Portion.

»Ich konnte in der Stadt keine Arbeit finden. Das ist alles.«

Arnold hielt sich den Bauch, als würde er gleich vor Lachen platzen. Dabei lächelte er nicht einmal. Er war merkwürdig gereizt. Und es schien etwas mit meinem Auftauchen zu tun zu haben. »Und jetzt kommst du zu uns und erwartest, daß sich dein Problem einfach in Luft auflöst? Einfach so«, er schnippte mit den Fingern und zeigte um sich: »Merkst du eigentlich nicht, wo du hier bist? Das hier nennt sich zwar Arbeiterstrich, aber in Wirklichkeit ist das die Welt der Erwachsenen. Und die Welt der Erwachsenen ist ein Ort mit beschränkter Teilnehmerzahl, klar?«

»Ich verstehe. Klar.«

Ich bekam auf einmal Angst, daß er mich vom Arbeiterstrich werfen würde. Das wäre mein Ende.

Aber plötzlich landete seine Pranke auf meiner Schulter und drehte mich langsam nach rechts.

»Siehst du die grünen Mülltonnen da drüben?« Er zeigte auf ein paar grüne Mülltonnen am Rande des Platzes. »Dort kannst du mit deinem Arsch vor Anker gehen. Aber bis zu den roten Mülltonnen ist es unser Gebiet, kapiert?«

»Selbstverständlich. Kapiert.«

Ich löste meine Schulter möglichst sanft aus seiner Umklammerung und trabte zu den grünen Mülltonnen. Sie stanken unglaublich, denn es waren Biotonnen, und die Wiener nehmen es wie alle Westler ganz schön genau mit der Mülltrennung. Trotzdem war ich froh, daß ich bleiben durfte. Für einen Moment hatte ich gedacht, es wäre vorbei. Aber Arnold übertrieb ganz schön. Schließlich war der Arbeiterstrich nicht die Oper, wo jeder Platz numeriert ist.

Inzwischen versuchten Arnold und seine Leute einen Job an Land zu ziehen. Er wartete am Straßenrand und versuchte Autos anzuhalten. Zwischendurch tranken sie aus ihrer Coca-Cola-Flasche. Wenn ein Auto auftauchte, versteckte sie derjenige, bei dem die Flasche gerade war, unter dem Pulli. Diese Vorsichtsmaßnahme war ganz schön rührend. Denn die Autos wurden sowieso nicht langsamer, wenn sie Arnolds Truppe am Straßenrand erblickten. Im Gegenteil, sie beschleunigten sogar noch. Wer hier freiwillig stehenblieb, der mußte blind und lebensmüde sein oder sich wie dieser holländische Tourist verfahren haben. Eine Viertelstunde später hielt nämlich versehentlich ein Wagen mit holländischen Kennzeichen an, und ein sympathischer Holländer lehnte sich heraus, um nach dem Weg zu fragen. Als er allerdings Arnold und seine Leute sah, kam er zu der Ansicht, daß ihm weitaus Schlimmeres passieren könnte, als sich zu verfahren. Er kurbelte schnell das Fenster wieder herauf und fuhr davon. Durch die Heckscheibe, die immer kleiner wurde, sah man einen kleinen Hund, der wie verrückt nach Arnold bellte.

Dafür kamen aber nach und nach immer mehr Arbeitswillige. Zuerst erschienen zwei Inder. Sie waren ganz harmlos und verstanden überhaupt kein Wort in irgendeiner Sprache. Arnold machte ihnen klar, daß der Arbeiterstrich nur Polen gehöre, und sie nickten mit dem Kopf und lächelten ständig vor sich hin. Arnold schien eine Weile nicht ganz sicher, ob sie ihn verarschten, aber dann latschte er zurück zu seinen Leuten und sagte nur: »Laßt die Kanaken in der Hitze schmoren. Die stehen auf so was.«

Was ihn aber wirklich ärgerte, waren die Rumänen. Sie benutzten den Arbeiterstrich als eine Art Treffpunkt, um die neuesten Informationen untereinander auszutauschen. Die einen kamen aus der Stadt, die anderen aus einem Dorf hinter dem Hügel. Nachdem sie sich eine halbe Stunde lang unterhalten und gelacht hatten, kehrte jeder wieder dorthin zurück, von wo er kam.

Arnold machte das rasend, und er gab ständig Bemerkungen von sich wie: »Schaut euch nur das faule Zigeunerpack an. Und so was will mit dieser Arbeitseinstellung in die EU. Nur über meine Leiche.«

Zum Schluß tauchte noch ein großer Blonder auf, der stark nach einem Landsmann aussah. Arnold ließ ihn in Ruhe, weil er ziemlich gut gebaut war. Im großen und ganzen sah er auch ganz friedlich aus. Er hielt sich etwas abseits und rauchte hin und wieder eine Zigarette.

Als nach zwei Stunden noch immer nichts passiert war, holte ich mein unsichtbares Tagebuch heraus und machte einen Vermerk:

»Wenn mich nicht alles täuscht, ist gerade mein letzter Tag in Wien angebrochen. Ich stehe an einem Ort, von dem ich vor kurzem nicht einmal wußte, daß er existiert. Arnold nennt ihn den Ort mit der beschränkten Teilnehmerzahl. Ich habe nämlich gerade ihn und seine Kumpels wiedergetroffen. Es scheint so, als hätte sie der Busfahrer übers Ohr gehauen und ihnen alle Zigaretten geklaut. Dieser Fahrer war mir offen gestanden von Anfang an nicht ganz geheuer. Als ich ihn mit der Pinzette vor dem Innenspiegel stehen sah, wußte ich gleich, daß mit ihm nicht gut Kirschen essen ist. War er nicht übrigens ein Freund von Herrn Kuka? Wie auch immer. Mir hat niemand etwas geklaut, und trotzdem stehe ich mit meinen letzten hundertfünfzig Schilling in der Tasche genauso wie Arnolds Leute da. Alles, was ich verbrochen habe, war, mir die falschen Schuhe anzuziehen. Aber nur kein Selbstmitleid. Immerhin habe ich den Stephansdom gesehen und bin mit dem Riesenrad gefahren. Ich habe sogar noch zwei steinharte Schokoriegel übrig.

Wenn ich noch einen Wunsch frei hätte, dann würde ich eine Gasmaske verlangen. Arnold wußte schon, warum er bei den roten Mülltonnen bleibt. Dort ist nur Papier und Metall drin. In meinen ist alles, was Wien in der letzten Woche nicht gegessen hat.

Aber ich beschwere mich. Warum sollte ich? Alles, was ich zu tun brauche, ist, auf einen Mann zu warten, der hier mit einem großen Auto vorbeikommt und zehn Leuten, die aussehen wie aus einem Piratenfilm, eine Arbeit gibt. Wien, du bist wirklich so, wie es auf den Willkommensschildern steht. Anders. Ich verabschiede mich hiermit von dir, ohne daß ich je erfuhr, wozu ein Lipizzaner gut ist. Dein Waldemar.«

Offenbar wurde mein Gebet auf unerklärliche Weise erhört, denn keine halbe Stunde später tauchte ein grüner VW-Transporter am Horizont auf. Er unterschied sich von den bisherigen Autos dadurch, daß er beim Anblick von Arnolds Leuten langsamer wurde und gleich danach in einem leichten Bogen zu ihm heranfuhr. Der Transporter blieb genau zwischen den roten und grünen Mülltonnen stehen, und ein etwa vierzigjähriger Mann im Jogginganzug stieg aus. Er sah aus wie jemand, der sein Leben lang nur Tennis spielt und Wirtschaftsmagazine liest. Er vertrat sich ein bißchen die Beine, weil er offenbar schon eine Weile am Steuer gesessen hatte, und sah sich um.

Als er zögerte, zu wem er als erstes gehen sollte, nahm ihm Arnold die Entscheidung ab, indem er auf ihn zuging und ihn in gebrochenem Deutsch ansprach: »Kriskot. Suchen für Garten und Baustelle? Machen wir Ihnen genau und billig.«

Komischerweise konnte ich aus zwanzig Meter Entfernung jedes Wort verstehen. Offenbar hatten die Übernachtungen im Belvedere mein Gehör so geschärft, daß ich damit im Varieté auftreten könnte.

»Grüß Gott«, entgegnete der Unbekannte und fügte gleich auf polnisch hinzu: »Wir können ruhig deutsch sprechen, aber so wird es leichter gehen, denken Sie nicht?«

»Jesus Maria«, sagte Arnold und winkte seine Leute heran. »Kommt her. Wir haben einen Landsmann erwischt.«

Arnolds Leute kamen näher. Ein paar von ihnen murmelten eine Begrüßung. Einer versuchte, dem Unbekannten die Hand zu geben, aber er ignorierte das. Er wollte sich mit voreiligen Gesten zurückhalten, bevor er nicht wußte, mit wem er es zu tun hatte.

Arnold rieb sich die Hände und begann seine Truppe anzupreisen. »Also, Chef, was steht an? Wir machen alles. Zimmer ausmalen, Gartenzwerge reinigen, und der mit dem Bart da kann sogar Fliesen legen.«

»Habt ihr auch eine Ahnung vom Buddeln?« fragte der Landsmann.

Arnold befühlte demonstrativ seinen Oberarm.

»Was glauben Sie, woher ich das hab? Vom Zeitungsumblättern? Ich habe schon den Spaten geschwungen, da haben einige von uns noch in die Windeln geschissen.« Er blickte in meine Richtung.

Der Landsmann bemerkte das. Er war sehr scharfsichtig. »Ich zweifle nicht daran«, sagte er. »Aber die Arbeit ist nicht leicht, und ein paar von euch sehen ziemlich mitgenommen aus. Und der dahinten«, er zeigte auf ein unrasiertes Exemplar, das sich hinter dem Rücken der Kameraden versteckte, »kann gerade noch stehen.«

»Und deshalb würde uns allen ein bißchen Bewegung an der frischen Luft guttun, Chef.«

Der Landsmann überlegte einen Moment und sagte: »Na, hoffentlich ist Ihr Bizeps genauso gut geölt wie Ihr Mundwerk. Es gibt nämlich ein großes Schwimmbad zum Ausheben. So an die zehn mal sieben Meter.«

»Je größer, desto besser, Chef. Ehrlich. Ist für uns kein Problem.«

»Trotzdem wäre mir wohler, wenn ich möglichst viele Leute dabeihätte.«

Der Landsmann zeigte auf die beiden Inder, die aus Neugier ein paar Schritte herangekommen waren. »Gehören die beiden zu Ihnen?«

»Sehen wir etwa wie Neger aus? Aber wenn Sie die beiden auch noch wollen, ist es uns recht. Denen fällt zwar nach zwei Stunden der Spaten aus der Hand, aber wer weiß.«

Der Landsmann zeigte auf mich und den blonden Riesen. »Und die beiden da drüben?«

»Keine Ahnung. Die gehören nicht zu uns.«

Der blonde Riese fluchte leise, als er das hörte. Ich folgerte zwei Dinge daraus: Es war ein Landsmann, und er hatte ein mindestens so gutes Gehör wie ich.

Der Landsmann winkte uns heran: »Hallo, Sie beide! Würden Sie mal herkommen?«

Ich mußte mich zurückhalten, um nicht zu rennen. Schließlich stand ich so knapp davor, meinen ersten Job im Westen zu bekommen. Dem Blonden ging es offenbar ähnlich. Wir erreichten unser Ziel gleichzeitig.

Der Landsmann betrachtete uns beide von oben bis unten und fing bei mir an: »Wie alt sind Sie?«

»Sechsundzwanzig.«

»Hm. Es sind acht Stunden am Spaten. Glauben Sie, daß Sie das schaffen?«

»Spielend. Überhaupt kein Problem.«

Der Landsmann verbiß sich ein Lächeln. In diesem Augenblick wurde mir klar, daß er sich nur so streng Arnolds und der anderen wegen anstellte.

»Und was ist mit Ihnen?« wandte er sich an den Blonden.

»Bin auch dabei«, antwortete der Blonde. Er sprach mit leichtem Dialekt, wie ihn die Leute aus Südpolen haben.

»Schön, dann wären wir uns einig.«

Der Landsmann wandte sich allen zu: »Ich nehme Sie jetzt mit zu meinem Grundstück. Dort werden wir die Details besprechen. Steigen Sie bitte hinten ein. Und passen Sie bitte auf das Türschloß auf. Es fliegt auseinander, wenn man die Tür zu stark aufreißt.«

Er ging zur Fahrertür und setzte sich ans Steuer. Arnolds rechte Hand ging um den Transporter herum und riß die Tür auf. Er stieg mit glücklichem Lächeln ein, und die anderen folgten ihm. Zum Schluß kamen die Inder und wir dran. Es gab reichlich Sitzplätze für alle, aber Arnolds Männer belegten sofort die Sitze hinter dem Fahrer mit Beschlag. Genauso hatten sie im Dream Travel gesessen. Da ich wieder mal letzter war, mußte ich die Tür verriegeln. Es war nicht so einfach, denn Arnolds rechte Hand hatte es tatsächlich geschafft, das Schloß im Handumdrehen zu ruinieren.

Ich mußte die Tür dreimal nacheinander mit aller Kraft zuschlagen, bis sie halbwegs hielt.

Die rechte Hand gab dem Fahrer ein Zeichen, und der Landsmann ließ den Motor an. Wir kurvten aus unserem Arbeiterstrich und waren ein paar Sekunden später auf der Straße.

Plötzlich beugte sich Arnold zu mir und sagte: »Wie wäre es, wenn du dich bedankst, Gute Manieren?«

»Wofür?«

»Daß du mitdarfst. Das hast du nur mir zu verdanken.«

»Das bezweifle ich.«

Arnold legte die Hand ans Ohr, als hätte er plötzlich Gehörprobleme. »Könntest du das mal wiederholen?«

»Jetzt bleib mal schön auf dem Teppich«, sagte plötzlich jemand neben mir. Es war der Blonde.

Arnold sah auf. »Wer hat denn dich gefragt? Bist du sein Bruder oder was? Ich kenn den Kleinen schon länger.«

»Aber er legt anscheinend nicht viel Wert darauf.«

Arnold grinste ungläubig. »Schau mal an, jetzt hast du einen Beschützer gefunden, Gute Manieren. Der wird heute für zwei zum Buddeln kommen. Du hältst garantiert nicht einmal eine Stunde durch.«

»Das ist meine Sache«, sagte ich versöhnlich.

»Das ist seine Sache«, nickte der Blonde.

»Jesus. Was für ein Scheißkindergarten«, sagte Arnold und blickte aus dem Fenster zum Zeichen, daß er die Unterhaltung für beendet hielt. Der Blonde sagte auch nichts mehr. Denn letzten Endes war niemandem nach Streit zumute. Wir waren heilfroh, diesen Arbeiterstrich verlassen zu haben.

12

Unterwegs zum Grundstück kam ich ein bißchen mit dem Blonden ins Gespräch. Dabei erfuhr ich, daß er Bolek hieß und aus Tschenstochau kam. Als ich ihn fragte, wie lange er schon da sei, sah er aus dem Fenster auf die vorbeiflitzende Straße und rechnete kurz nach.

»Fast ein Jahr«, sagte er. »Ich arbeite normalerweise am Preßlufthammer auf einer Baustelle. Das hier ist nur, um schnell was dazuzuverdienen.«

Dann sah er mich an und urteilte fachmännisch: »Dafür bist du neu hier, was?«

»Man sieht es mir also an? Großartig.«

Er zeigte auf meine Füße. »Nur Anfänger laufen in solchen Sandalen herum. Wenn du es hier zu was bringen willst, mußt du in deine Schuhe investieren. Mit denen hier kommst du gerade noch am Arbeiterstrich durch.«

Ich sah meine Tennisschuhe an, und auf einmal taten sie mir schrecklich leid.

Bolek lachte, als er meinen Gesichtsausdruck sah: »Du mußt sie nicht gleich auf den Müll werfen. Ich habe meine ersten Schuhe im Westen auch behalten. Aus Tradition. Versteht doch jeder.«

Ich schielte auf seine Schuhe. Westqualität. Braunes

Leder. Wahrscheinlich Humanic. Er schien überhaupt ein Fachmann zu sein, was Kleidung anging. Er hatte keine Jeans an, sondern eine alte Cordhose.

Von jemandem wie ihm konnte man wirklich etwas lernen.

»Alles klar?« fragte er. »Die Schuhe müssen unter das Bett.«

»Ich denke darüber nach«, antwortete ich, und dann sprachen wir bis zum Grundstück kein Wort mehr.

Das Grundstück unseres Landsmanns lag mitten im Grünen. Es hatte eine erstklassige Aussicht auf einen Wald und mehrere Wiesen, die ineinander übergingen. Es gab keine Nachbarhäuser, sondern nur unbebaute Grundstücke, die dem des Landsmanns ähnelten. Wir bogen in eine Einfahrt, die von zwei riesigen Kastanien flankiert war, und parkten ein Stück weiter. Da ich als letzter eingestiegen war, stieg ich als erster aus, und die anderen kamen nach.

Arnolds Leute schwärmten gleich aus und murmelten etwas von Millionen, die das Grundstück wert sein mußte.

Der Landsmann ging inzwischen um den Transporter herum, öffnete die Heckklappe und holte zwölf funkelnagelneue Spaten heraus. Nachdem er die Spaten auf den Boden gelegt hatte, versuchte er die Seitentür zu schließen. Sie ging immer wieder auf wie die Türen in diesen englischen Komödien. Aber dem Landsmann war nicht nach Lachen zumute.

Er winkte Arnold heran und zeigte auf die Tür: »Habe ich nicht gesagt, daß Ihre Leute mit dem Schloß vorsichtig umgehen sollen? Jetzt ist es hin.«

Arnold zuckte die Achseln. »Das war doch schon hin, Chef. Habe ich doch selber gehört, wie Sie das zu den Jungs gesagt haben.«

»›Geht vorsichtig damit um!‹ habe ich gesagt. Vorsichtig war das Wort. Und jetzt ist es komplett im Arsch.« Er sah wirklich sauer aus.

»Jesus. Das ist doch nur ein Türschloß und kein Computer. Kaufen Sie sich ein neues.«

Der Landsmann sperrte den Mund auf, als stünde er vor einem Geist. Er murmelte halb zu sich, halb zu Arnold: »Es gibt über hundertsechsundfünfzig Länder auf der Welt. Warum bin ich nicht woanders geboren worden? Habe ich jemanden ermordet? Warum, du Grundgütiger, hast du mich mit solchen Landsleuten bestraft?«

Dann winkte er ab: »Los, sammeln Sie Ihre Leute ein, bevor sie mir noch die Bäume ausreißen.«

Arnolds Leute hatten sich nämlich in zwei Gruppen geteilt und bewarfen sich mit unreifen Kastanien. »Kommt her, ihr Trottel! Der Chef will uns was sagen.«

Seine Leute trabten heran und bildeten einen Kreis. Ein paar waren ganz schön außer Atem.

»Also, zuerst einmal, meine Herren, ich sage etwas einmal und dann nie wieder. Wenn ich am Abend zurückkomme, möchte ich, daß mein Grundstück genauso aussieht wie jetzt. Da der Platz für das Schwimmbad bereits markiert ist, wissen Sie, wo Sie sich aufzuhalten haben. Das alles hier ist Privatbesitz und wird auch ein bißchen anders gehandhabt als bei uns zu Hause.«

Er zeigte auf ein ausgemessenes Rechteck ein paar Meter vor uns, das mit vier Holzpflöcken markiert war. »Das Schwimmbad soll sieben mal zehn sein und zwei Meter tief. Euer Chef wird sich darum kümmern. Und ich werde es genau nachmessen, wenn ich zurückkomme. Haben wir uns verstanden?«

Alle nickten bis auf die Inder, die mit einem Lächeln lauschten.

Bolek beugte sich zu mir und murmelte: »Das ist gar kein Schwimmbad.«

»Was?«

»Das ist ein Fundament fürs Haus. Er gibt es als Schwimmbad aus, weil ihn das billiger kommt.«

Der Landsmann sprach weiter: »Und nun zur Bezahlung. Jeder kriegt achtzig Schilling pro Stunde. Allerdings nur, wenn das Schwimmbad bis sieben am Abend fertig ist. Wenn nicht, zahle ich nur fünfzig.«

Arnolds Leute begannen zu murren: »Hey, sehen wir etwa wie Roboter aus? Holen Sie sich gleich einen Bagger.«

»Ist das zu schaffen?« fragte ich Bolek.

»Spielend. Und die Leute wissen das auch. Sie wollen bloß mehr Geld herausschinden.«

Der Landsmann hob die Hand. »Wer nicht will, kann wieder gehen. Ich fahre ihn gerne in die Stadt zurück.«

Niemand rührte sich von der Stelle.

»Na schön. Diese Spaten hier sind ganz neu. Ich habe sie vor drei Tagen bei Baumax gekauft. Jeder ist vierhundert Schilling wert. Wie ich aber das Leben kenne, könnte es sein, daß bis zum Abend ein paar davon kaputtgehen oder sich sogar in Luft auflösen.«

»Moment mal, Chef! Was wollen Sie damit sagen? Daß wir sie fressen?« Arnold zeigte auf seine Leute. Ein paar stimmten ihm murmelnd zu.

»Um so besser. Dann wird eine Kaution von zweihundertfünfzig pro Stück völlig reichen. Ihr bekommt sie aber erst dann zurück, wenn ich dafür einen intakten Spaten wiedersehe. Und seid froh, daß ich das Schloß nicht einrechne, das ihr gerade ruiniert habt.«

Die Leute begannen zu murren. Aber der Landsmann schnitt ihnen das Wort ab. »Bitte schön. Ich zwinge niemanden. Der Weg ist frei.« Er zeigte auf die Ausfahrt.

Die Männer beratschlagten eine Weile untereinander. Dann hob einer die Hand. »Hey, Chef? Wenn ich scheißen muß, soll ich dann auch eine Kaution stellen?«

Die Männer brüllten auf vor Lachen.

Der Landsmann verzog keine Miene. Er wartete, bis alle sich beruhigt hatten. »Legt die Kautionen in mein Auto, dann holt euch den Spaten ab. Im Fahrerhaus ist eine Kiste Mineralwasser. Teilt sie gerecht auf. Die beiden Inder sollen auch was bekommen.«

Der Landsmann kam zu mir und Bolek. Er sah viel menschlicher drein: »Ich weiß, daß Sie nicht zu denen gehören, aber ich kann keine Ausnahme machen.«

»Aber Chef«, sagte Bolek, »wir laufen doch nicht weg.«

»Ich weiß. Aber wenn die anderen das rausbekommen, zahlen sie auch nichts. Und dann haben wir hier einen Saustall. Ich kann Sie natürlich nicht zwingen.«

»Ist ja gut, ist ja gut«, sagte Bolek und griff sich in die Hosentasche. Er zählte das Geld ab und gab es dem Landsmann.

»Hier ist Ihr Spaten. Glauben Sie mir, er ist sein Geld wert«, sagte er und wandte sich an mich.

»Und was ist mit Ihnen?«

»Ich habe nur hundertfünfzig Schilling. Das ist mein letztes Geld.«

Der Landsmann senkte die Stimme: »Was ich jetzt sage, behalten Sie für sich. In Wirklichkeit geht es gar nicht um lumpige zweihundertfünfzig Schilling. Aber man kann nun mal, wie die Österreicher sagen, kein Omelett machen, ohne Eier zu zerschlagen. Vor einer Woche hatte ich eine andere Brigade hier und habe keine Kaution verlangt. Und jetzt sehen Sie sich nur um.« Er zeigte auf sein Grundstück. »Alles ist weg. Sogar die Betonmischmaschine war ihnen nicht zu schwer.«

»Unsere?« fragte Bolek sachlich.

»Wer ist sonst so gründlich?« Er sah zu mir: »Also wenn Sie nicht zahlen wollen, verstehe ich das. Steigen Sie ein. Ich bringe Sie zurück in die Stadt.«

»Na schön, Chef«, sagte Bolek und griff noch mal in die Tasche. »Ich lege einen Hunderter für ihn aus.«

Der Landsmann sah Bolek an: »Wollen Sie das wirklich?«

Bolek tätschelte mir die Schulter. »Der Kleine wird ihn mir am Abend zurückgeben. Und wenn nicht, quetsche ich es aus ihm heraus, stimmt's?«

Ich nickte dankbar und erhielt meinen Spaten.

»Halten Sie sich fern von den anderen«, riet der Landsmann.

»Wird nicht so leicht sein. Das Schwimmbad ist klein«, sagte Bolek. »Wir schauen, was sich machen läßt.«

Der Landsmann nickte und knöpfte sich noch mal Arnold vor: »Ich bin pünktlich um sieben zurück. Wenn das Schwimmbad nicht fertig ist, bleibt es bei den fünfzig. Bringen Sie das Ihren Leuten bei. Ich möchte keinen Radau.«

»Keine Sorge, Chef. Bis sieben haben Sie zwei Schwimmbäder.«

»Vor kurzem hatten Sie noch keine Zeit für eins.«

»Chef, ist nicht nötig, daß Sie uns beleidigen. Schließlich sind wir Landsleute. Wenn ich sage, wir sind fertig, dann sind wir fertig.«

»Um sieben werden wir sehen.«

Er marschierte zu seinem VW-Transporter, stieg ein und nahm sein Handy heraus. Er tippte darauf herum, aber es sollte nur so aussehen, als ob er telephonieren wollte. In Wirklichkeit schaute er, wie die Männer an die Arbeit gingen. Am liebsten wäre er überhaupt dageblieben. Aber plötzlich bekam er doch eine Verbindung. Er sprach ein paar Sätze und legte das Handy zurück ins Handschuhfach. Dann ließ er den Motor anspringen, lehnte sich noch mal aus dem Fenster hinaus und rief mir und Bolek zu: »Man kann kein Omelett machen, ohne Eier zu zerschlagen! Das ist so und wird immer so sein!«

Dann kurvte er vom Grundstück herunter auf die Straße hinaus. Ein paar Minuten später sah man seinen Transporter langsam wie eine Schnecke die Straße hinaufkriechen. Man mußte kein Psychologe sein, um zu sehen, wie ungern er uns allein ließ.

13

Nachdem der Transporter weg war, übernahm Arnold das Kommando und rief alle um sich zusammen: »Wir machen bis sechs das Schwimmbad fertig. Dann haben wir eine Stunde zum Herumsitzen. Alles klar?«

»Klar«, kam es von allen Seiten.

»Und paßt auf die Spaten auf. Das Sparschwein versteht keinen Spaß.«

Arnold und seine Leute zogen sich aus und standen mit nacktem Oberkörper da. Die einzigen, die ihr Hemd anbehielten, waren die Inder und ich. Den Indern war es zu kalt, und ich mußte nicht gleich allen zeigen, wie zierlich ich gebaut war. Dann suchte sich jeder eine Stelle, wo er anfangen wollte. Arnold ging mit seinen Leuten in die eine Ecke. Bolek, die Inder und ich gingen in die andere.

Nach den ersten paar Spatenstichen wußte ich bereits, daß ich nicht nur eine Stunde, sondern den ganzen Tag durchhalten würde. Seit ich den Spaten in der Hand hielt, hatte mich eine unglaubliche Energie überkommen. Ich hielt ganz leicht mit den anderen mit.

Das war so unerwartet, daß Bolek mich schon bald zu bremsen versuchte. »Du bist nicht im Fernsehen. Laß den Blödsinn«, sagte er.

Dafür war Arnold von mir richtig angetan. Er rief immer wieder quer über das Schwimmbad zu mir herüber: »Morgen kannst du nicht mehr stehen, Manieren.«

»Morgen ist morgen und heute ist heute«, rief ich zurück und grub weiter.

Arnold zeigte auf mich und schüttelte den Kopf: »Schaut euch bloß den an! Woher nimmt er das bloß?«

Aber die Männer teilten seine Begeisterung nicht: »Der hat ja auch gestern nicht diese Scheiße getrunken. Warte, bis er vierzig ist.«

Trotzdem kamen auch sie langsam in Fahrt. Und nach höchstens einer Stunde schmolzen wir unter der glühenden Mittagssonne zu einer einzigen Maschine zusammen, die sich beharrlich tiefer in die Erde hineinfraß.

Als die Sonne am Zenit stand und uns der Schweiß schon die Sicht nahm, begann Arnold eine schmutzige Geschichte zu erzählen.

»Neulich gehe ich in unsere Disko im Zweiten«, erzählte er, und sein Spaten flog durch die Luft. »Ich gehe rein und sehe lauter Weiber, die sich langweilen. ›Wer bumst das alles?‹ denke ich mir. Kaum hab ich's gedacht, kommt so eine Blondine an meinen Tisch und sagt, daß sie Opernsängerin ist und in Wien Karriere machen will. Wir reden eine Weile über ihre Karriere und trinken was dabei. Sie trank besser als mein Bruder, Gott hab ihn selig. Jedenfalls gehen wir dann zu mir nach Hause. Dort sage ich, ich besorg dir einen Job in der Oper, ich kenn da jemanden. Aber das hängt davon ab, ob du singen kannst. Kaum hab ich's gesagt, fängt die blöde Kuh aus vollem Hals zu singen an. Sie hat eine Stimme wie eine Fräsmaschine. Ich reiß ihr die Bluse herunter, aber sie singt weiter, dann ist der Rock dran, und sie singt immer noch. Erst als ich ihr meinen kleinen Arnold hingehalten hab, hörte sie auf. Sie nahm ihn, bis es nicht mehr ging. Ich dachte, ich flieg gleich durch die Decke. Aber als ich fertig war, schaut sie mich an und fragt: ›Habe ich nicht eine wunderschöne Stimme?‹«

Das ganze Schwimmbad brüllte vor Lachen, und dann war Arnolds rechte Hand dran. Er hatte es neulich mit einer Lehrerin gemacht, die hier in einer Schule Polnisch unterrichtet. Diese Lehrerin war eine richtig kultivierte Frau, die Bücher las und so. Aber als sie Arnolds rechte Hand kennenlernte, war es aus mit der Kultur. Er mußte sich nachts mit ihr im Stadtpark verabreden und es auf einer Bank machen, auf der tagsüber die Pensionisten saßen. Wenn jemand vorbeikam, schrie sie wie am Spieß. Aber Arnolds rechte Hand bekam fast immer einen Herzanfall, weil er illegal eingereist war und in jedem Fußgänger einen Polizisten sah.

Dann kamen die anderen Männer dran, und am Ende mußte sogar ich was beisteuern. Ich erzählte eine Szene aus einem Pornofilm, den ich mal gesehen hatte. Die Männer lauschten mir wie einem Evangelium, und Arnold sah mich zum ersten Mal mit Respekt an. Dann gruben wir weiter. Am Ende mußten sogar die armen Inder lauter vulgäre Fragen über sich ergehen lassen. Ich machte auch ein bißchen mit. Die Schufterei unter der brütenden Sonne und der Geruch der aufgewühlten Erde reizten einen regelrecht dazu. Es war furchtbar vulgär und so, aber es hatte wirklich etwas, das sich nicht beschreiben läßt.

Ein paar Minuten nach sechs nahm Arnold dann das Maßband und schritt zum letzten Mal das Schwimmbad ab. Es war überall zwei Meter tief, und nur in der Mitte war es flacher, aber das fiel nicht auf. Er steckte das Maßband in die Hosentasche und wischte sich den Schweiß demonstrativ von der Stirn: »Wir sind fertig. Das Sparschwein wird Augen machen.«

Die Männer ließen die Spaten sinken und setzten sich da hin, wo sie gerade standen. Ein paar waren so erledigt, daß sie sich auf den Boden legten und zu fluchen anfingen. Ich war so müde, daß mir das Blut in den Ohren rauschte. Auf meiner Hand hatte sich eine riesige Blase gebildet. Mit dieser Blase hätte der Zöllner mich bestimmt niemals nach Österreich hereingelassen. Irgendwie imponierte mir das. Es störte mich bloß, daß es auf der rechten Hand war.

Nachdem ich mich an meiner Blase satt geschaut hatte, sah ich mich nach einem geeigneten Ort um, wo ich pinkeln konnte. Da mir meine Eltern die Regeln des neunzehnten Jahrhunderts eingetrichtert haben, konnte ich nicht einfach so vor fremden Leuten pinkeln. Aber fünfzig Meter weiter wuchs eine Eiche, die vielversprechend aussah. Wahrscheinlich gehörte sie schon zu einem anderen Grundstück, aber es war unwahrscheinlich, daß unser Landsmann mich dafür umbringen würde. Außerdem war er erst in einer halben Stunde fällig. Ich stelzte hinüber und versteckte mich dahinter. Dann wartete ich, bis meine Blase sich gnädig dazu entschließen würde, zu entkrampfen. Aus Erfahrung weiß ich, daß das etwas dauert, denn leider leben wir in einer Zeit, wo die Menschen nichts mehr spontan machen.

Als ich schon fast soweit war, hörte ich plötzlich Motorenlärm. Ich lugte hinter dem Baum hervor und sah den Transporter unseres Landsmanns in das Grundstück einfahren. Auf den zweiten Blick wurde mir aber klar, daß der Transporter ein bißchen anders aussah als beim ersten Mal. Er war höher, hatte breitere Reifen und vergitterte Fenster. Auf halbem Weg zum Schwimmbad tauchte hinter ihm ein weißer Pkw mit einem roten Seitenstreifen auf. Die beiden Fahrzeuge hatten es ziemlich eilig, aber als sich vor ihnen das Schwimmbad auftat, beschleunigten sie wie Raketen. Auf den letzten zehn Metern scherte der weiße Pkw aus, und beide Autos nahmen das Schwimmbad in die Zange. Sie blieben so knapp vor dem Rand stehen, daß Arnolds Männern, die das Ganze mit offenem Mund beobachtet hatten, nichts anderes übrigblieb, als sich mit einem Sprung ins Schwimmbad zu retten. Im selben Augenblick flog die Seitentür des Transporters auf, so wie Türen in Gangsterfilmen aufzufliegen pflegen, laut und endgültig, und eine Polizeieinheit sprudelte heraus. Sie umstellte blitzschnell das Schwimmbad. Gleichzeitig ging auch die Tür des Pkws auf, und zwei Polizeioffiziere stiegen aus. Sie gingen zum Schwimmbad und schüttelten die Köpfe, als trauten sie ihren Augen nicht.

»Was für eine Sauerei«, murmelte der erste, und der andere brüllte aus vollem Hals: »Hier spricht die Wiener Polizei. Wir wurden gerade durch einen anonymen Anruf benachrichtigt, daß hier eine kriminelle Handlung im Gange ist. Keiner rührt sich von der Stelle!«

Das war ein überflüssiger Befehl, denn Arnold und seine Leute sahen nicht gerade aus, als würden sie weglaufen.

Der erste Polizist murmelte wieder: »Das sieht mir nach Plutoniummafia aus. Die müssen was Größeres gesucht haben«, und der zweite brüllte wieder: »Wer verstehen hier Deutsch?!«

Niemand machte einen Mucks.

Der Polizist zeigte schließlich auf Arnold: »Du in der roten Mütze! Herkommen zu mir!«

Arnold trat vor.

»Was suchen Sie hier?!«

»Wir graben Schwimmbad aus, Herr Inspektor.«

»Hier dürfen Sie nicht einmal ein Papier fallen lassen. Das ist der Naturpark Lainz! Was verstecken Sie hier?«

Arnold verstummte. Er sah sich verunsichert um, dann schüttelte er entschieden den Kopf. »Unser Chef kommt gleich, kann alles erklären. Ein bißchen noch warten, bitte.«

Die Polizisten tauschten einen Blick aus. »Er will mich offenbar verarschen«, sagte der erste.

Der zweite antwortete: »Er soll lieber den Spaten zeigen. Erinnern Sie sich, was der anonyme Anrufer gesagt hat?«

Der erste Polizist nickte und brüllte Arnold an: »Zeigen Sie mal den Spaten her!«

Arnold reichte den Spaten bereitwillig hinauf. Beide Polizisten beugten sich darüber und sahen ihn sich genau an. Besonders den eingebrannten Stempel am Griff. Sie tauschten wieder einen Blick aus.

Der Offizier hielt den Spaten in die Höhe und brüllte: »Noch ein Verbrechen. Diese Spaten sind letzte Woche vom Baumax-Lager gestohlen worden! Sie sollten langsam die Wahrheit sagen, Kollege.«

Arnold starrte sie an. Er brachte einfach kein Wort heraus.

Jetzt verlor der zweite Polizist die Geduld: »So können wir ewig debattieren. Wir bringen sie aufs Revier und lassen die ganze Bagage durch den Computer laufen. Den mit der roten Mütze hab ich garantiert schon wo gesehen. Also worauf warten wir noch?«

Der erste Offizier winkte einen Sicherheitsmann heran. Ein Riese mit einem Knüppel am Gürtel trat aus der Reihe. »Ronnie! Einpacken und aufs Revier! Und keine blauen Flecken, verstanden?«

Der Sicherheitsmann fing an, die anderen Sicherheitsleute anzubrüllen: »Los, los, Bewegung, los, los!«

Einer nach dem anderen wurde aus dem Schwimmbad gezerrt. Die meisten von Arnolds Leuten waren so weggetreten, daß sie sich wie Lämmer abführen ließen. Die beiden Inder redeten aufgeregt auf jeden ein, der ihnen unter die Augen kam, aber niemand verstand Indisch.

Arnold wurde als letzter herausgezogen. Als er an den Polizisten vorbeigeführt wurde, schlug er die Hände wie zum Gebet zusammen und stammelte: »Wir hören Lainz zum ersten Mal im Leben, Herr Inspektor! Er uns herbringen und befohlen, Schwimmbad zu machen.«

Der Polizist sagte: »Seid ihr nicht ein bißchen zu groß, daß man euch befehlen kann?«

»Weil uns Schwein betrogen! Kautionen kassieren, Polizei rufen, damit ich ihn nicht finden. Aber ich finden ihn! Ich finden ihn und schießen ich ihn auf Mond wie Rakete.«

»Warum ist der noch nicht im Auto?!« fragte der Polizist nur seinen Kollegen, und Arnold wurde zum Transporter gezerrt. Kurz vor dem Einsteigen wollte er Reißaus nehmen, aber zwei Sicherheitsleute hielten ihn fest und schoben ihn ziemlich unsanft hinein zu den anderen. Danach wurde die Tür verriegelt, und die Sicherheitsleute nahmen im vorderen Teil Platz.

Der erste Polizist gab dem Sicherheitsmann das Zeichen zur Abfahrt. Bei der Gelegenheit drohte er ihm mit dem Finger. Der Sicherheitsmann Ronnie stieg mit zusammengepreßten Lippen ein. Der Fahrer warf den Motor an, und der Transporter setzte sich in Bewegung.

Die beiden Polizisten gingen zu ihrem Wagen. Bevor sie einstiegen, blickte der ältere ein letztes Mal hinüber zum Schwimmbad: »Das kann man doch nicht so lassen. Wann wird man die ganze Sauerei zuschütten können?«

»Momentan ist das Beweismaterial. Morgen, wenn alles geklärt ist, lassen wir einen Bagger kommen.«

Der Ältere neigte den Kopf etwas zur Seite. »Komisch. Warum ist das Ganze so rechteckig? Wenn man was sucht, gräbt man anders.«

»Wir kriegen das schon raus. Die werden schon geständig. Wär ja nicht das erste Mal.«

Diese Erklärung befriedigte den Polizisten offenbar, denn er öffnete die Tür und nahm am Steuer Platz. Der Motor sprang an, und sie kurvten Richtung Ausfahrt. Sie fuhren langsam, weil der ältere Polizist dem jungen unbedingt etwas durch das Seitenfenster zeigen wollte. Der jüngere verstand sofort, worum es ging. Er sah über die Schulter und blickte direkt in die rote Scheibe der Sonne, die gerade über dem Lainzer Naturpark unterging.

14

Ich trat hinter dem Baum hervor und drehte mich im Kreis wie jemand, der gerade von einem Karussell heruntergestiegen ist und das Gleichgewicht finden muß. Aber das Ganze hatte wirklich nicht länger als fünf Minuten gedauert. Ich stelzte wie ein Schlafwandler zum Schwimmbad zurück, um nachzusehen, ob ich das alles geträumt hatte oder nicht. Ich stellte mich an den Grubenrand und beugte mich vornüber. Das Schwimmbad war völlig leer. Die Polizei hatte sogar die Spaten mitgenommen. Von den Männern waren nur leere Mineralwasserflaschen zurückgeblieben. In der Mitte lag Arnolds Coca-Cola-Flasche. Ich stand eine Weile da und dachte an nichts. Als ich mich wieder beisammenhatte, galt mein erster Gedanke unserem Landsmann. Ich wünschte mir nichts sehnlicher, als daß er jetzt auftauchen würde. Nicht wegen des Geldes oder um ihn eigenhändig zu erwürgen, sondern nur, um ihm eine einzige Frage zu stellen. Ich verstand, daß er schnelles Geld verdienen wollte, daß er uns nach allen Regeln der Kunst verarscht hatte, aber eines begriff ich trotzdem nicht. Warum genügte es ihm nicht, uns nur um die Kautionen zu erleichtern und uns zehn Stunden lang umsonst schuften zu lassen? Warum mußte er uns noch die Polizei auf den

Hals hetzen? Es war jetzt ein guter Augenblick, um es mir begreiflich zu machen. Ab morgen würde man es mir so oft erklären können, wie man wollte. Ich würde es nicht mehr verstehen. Man konnte es nur jetzt und über diesem Schwimmbad begreifen.

Und plötzlich geschah etwas Unerwartetes. Meine Blase entkrampfte sich. Da mein Reißverschluß immer noch offenstand wie ein Scheunentor, brauchte ich nur meinen Strahl ins Schwimmbad zu richten. Ich pinkelte und pinkelte. Wie dieser Amor im Belvedere, der schon seit dreihundert Jahren auf ein und dieselbe Stelle pinkelt und damit noch immer nicht aufhören kann. Es dauerte eine Ewigkeit, aber dann war ich erleichtert wie ein buddhistischer Mönch.

Ich zog meinen Reißverschluß hoch und drehte mich wieder im Kreis. Aber diesmal nur, um Abschied von unserem Grundstück zu nehmen. Für mich würde es nämlich immer ein Schwimmbad bleiben. Da konnten noch so viele Polizisten kommen.

Als ich an den Kastanien vorbei zur Einfahrt ging, bewegte sich plötzlich etwas im Gebüsch. Eine Stimme rief aufgeregt: »Waldemar? Bist du's!?«

Ich blieb wie angewurzelt stehen und starrte auf die Büsche. Aber es war schon zu dunkel, um etwas zu erkennen.

»Ich bin es!« rief die Stimme. »Bolek!«

Ich atmete auf und rief leise zurück: »Komm raus. Die Luft ist rein.«

Bolek kämpfte sich aus dem Gebüsch hervor. Ein paar Zweige hatten ihn verletzt und hinterließen lange Kratzer auf seiner Wange. Auch er sah sich um, als wäre er gerade vom Karussell heruntergestiegen, und begann hastig zu erzählen. »Ich war eine Zigarette rauchen, als plötzlich diese Cobraleute angaloppiert kamen. Im letzten Moment habe ich mich versteckt. So viel hat gefehlt. So viel …« Er zeigte mit zitternden Fingern, wieviel gefehlt hatte.

Er ging zum Schwimmbad und sah hinein: »Ich werde Onkel Mirek eine Kerze anzünden«, sagte er. »Wenn er mir das Rauchen nicht beigebracht hätte, wäre ich jetzt mit den anderen auf dem Revier. Du weißt, daß sie morgen schon nach Hause abgeschoben werden?«

Plötzlich betrachtete er mich, als verstünde er etwas nicht: »Wo hast du das eigentlich überstanden?«

»Hinter der großen Eiche. Meine Eltern haben mir Manieren aus dem neunzehnten Jahrhundert beigebracht. Seitdem gehe ich kilometerweit, um zu pinkeln.«

»Aber du hast doch gerade ins Schwimmbad gepinkelt.«

Für einen Moment hörte ich Mißtrauen in seiner Stimme. Aber vielleicht war ich schon zu übermüdet. »Mir war eben nicht nach Pinkeln zumute, als die Polizei da war«, antwortete ich gereizt.

»Ist ja gut, reg dich nicht auf.« Bolek betastete seinen linken Oberarm. »Wir leben. Das ist die Hauptsache. Damit hat dieses Arschloch von Landsmann sicher nicht gerechnet.«

Plötzlich stimmte irgendwo im Wald ein österreichischer Naturparkvogel sein Lied an. Vermutlich suchte er einen anderen österreichischen Vogel.

Bolek horchte in die Nacht hinaus. »Wir sollten unser Glück nicht strapazieren«, sagte er. »Verschwinden wir. Die Polente kann jederzeit wiederkommen. Die machen das gerne.«

Das brauchte man mir nicht zweimal zu sagen. Wir schlugen den Weg zur Ausfahrt ein und verließen im Schutz der Dunkelheit den Naturpark Lainz.

Als wir in Wien ankamen und mit der U-Bahn Richtung Zentrum fuhren, passierte etwas, das dem heutigen Tag die Krone aufsetzte. Eine Station vor dem Karlsplatz stiegen zwei Skins in unseren Waggon ein. Der eine hatte auf seiner Jacke »Anfang vom Ende« stehen, der andere »Negativ«. Sie waren an sich ganz harmlos. Sie gingen nur herum und stellten den Fahrgästen komische Fragen. Irgendwann kamen sie auch zu uns. Ich brauchte Bolek nur anzusehen, um zu wissen, daß das Ganze nicht gutgehen würde. Seit wir Lainz verlassen hatten, kochte er innerlich. Die beiden kamen ihm gerade recht.

Der in der »Anfang-vom-Ende«-Jacke sagte zum anderen: »Schau mal. Komische Schuhe hat der kleine Schwarzfahrer.«

»Vielleicht würde er sie gegen was tauschen?« fragte der andere.

»Zum Beispiel gegen einen abgelutschten Kaugummi?«

»Er nix tauschen«, unterbrach sie Bolek. Er hatte einen Akzent, daß man es auf einen Kilometer hörte.

Die Skins horchten auf: »Da schau her. Wir haben zwei Touristen erwischt.«

Bolek stand langsam auf. Er überragte die beiden um einen Kopf.

Die beiden Skinheads begriffen, daß es jetzt an ihnen lag, wie die Sache weiterlaufen würde. Bolek machte kein Geheimnis daraus, daß er nur darauf wartete, ihnen eins zu verpassen. Sogar die anderen Passagiere bekamen das mit, denn sie begannen reihenweise die Plätze zu verlassen und sammelten sich am hintersten Ausgang.

»Anfang vom Ende« hob unschlüssig seine Faust und hielt sie Bolek vors Gesicht. Sein Fingerschmuck bildete auf einmal einen beeindruckenden Schlagring. »Sei nicht blöd. Wir sind ganz friedliche Leute.«

Bolek machte eine Bewegung, als würde er ein Fahrradpedal treten. Sie war so winzig, daß man sie kaum sah. Der Skin begann langsam kleiner zu werden. Er kniete sich nieder, legte sich auf den Boden und keuchte: »Knips ihn aus, Georg!«

»Negativ« holte mit der Faust aus, aber Bolek wich aus, und die Faust knallte an die Wand hinter ihm. Der Skin schrie auf und begann um seine Hand zu tanzen. Es war schwer zu sagen, ob er wirklich solche Schmerzen hatte oder absichtlich übertrieb, um nicht noch mehr zu kassieren.

Plötzlich durchflutete Licht den Waggon. Die Station kam, und die U-Bahn blieb stehen. Bolek beugte sich über den liegenden Skinhead und brüllte ihm auf polnisch ins Ohr: »Kein Omelett, ohne Eier zu zerschlagen, du Trottel.«

Dann stiegen wir aus.

Inzwischen sprudelten auch die anderen Passagiere wie aufgescheucht auf den Bahnsteig. Sie machten einen Bogen um uns, als hätten wir gerade jemanden umgebracht.

Bolek sah sie angeekelt an: »Diesen Ärschen geht's zu gut. Die werden nie etwas kapieren.«

Wir nahmen die Rolltreppe und kamen auf der Seite des Resselparks hinaus. Es war ein warmer, ruhiger Sommerabend. Als wir an der Karlskirche vorbeigingen, waren meine Beine auf einmal schwer wie Blei. Ich konnte sie kaum noch bewegen. Ich mußte mich sofort setzen, stelzte zur nächsten Bank und streckte die Füße von mir.

Bolek trabte heran: »Warum gehst du nicht weiter?«

»Ich kann nicht. Irgendwas mit meinen Beinen.«

»Was ist los? Sag schon!«

»Ich geh nicht weiter. Das ist los.«

»Willst du die ganze Nacht hier sitzen bleiben?«

»Ja, vielleicht.«

»Die Schlägerei? War's das?«

Ich sah auf und sagte zu ihm: »Wo bin ich? Was ist das für ein Ort, wo sich Schwimmbäder in Nationalparks verwandeln? Wo eigene Landsleute uns der Polizei in die Arme treiben? Wo Spendierdosen hinter einem ›Gott vergelt's‹ rufen und niemand dir eine Arbeit geben will, nur weil du die falschen Schuhe geschenkt bekommen hast? Kennst du etwa noch einen Ort auf der Welt, wo es so zugeht? Ich nicht.«

»Sicher. Deutschland, Frankreich, überall ist es so.«

»Aber nicht zu Hause.«

»Auch. Besonders jetzt.«

Ich atmete tief durch: »Ich habe kein Geld mehr. Ich habe nur noch eine Rückfahrkarte. Es ist vorbei. Ich bin sogar irgendwie erleichtert.«

Ich schaute auf die Karlskirche. Sie sah aus wie aus einem Märchen. Es lag an der Beleuchtung.

Bolek setzte sich neben mich: »Und wie wäre es, wenn ich dir einen Job besorgen würde? Ohne Tricks und so? Einen wirklichen Job?« fragte er.

Ich sah ihn an, ob er nicht scherzte. Aber er war ernst wie ein Mathematikprofessor.

»Warum besorgst du ihn dir nicht selber, wenn er so toll ist?« fragte ich.

»Weil ein Bekannter jemanden sucht, der gut Deutsch kann. Er braucht nämlich noch einen Verkäufer für sein Geschäft.«

»Und er hat noch keinen gefunden? Merkwürdig.«

»Die Bezahlung ist nicht gerade überragend.«

Ich schüttelte den Kopf. »Ich habe keine Arbeitserlaubnis, kein Gesundheitszeugnis, und Gott weiß allein, was ich noch alles nicht habe.«

»Das alles brauchst du am Mexikoplatz nicht.«

»Nein. Da ist sicher ein Haken dabei.«

»Du mußt den Job annehmen«, sagte Bolek plötzlich erstaunlich hart und entschlossen.

Ich sah ihn verblüfft an. »Warum? Nenn mir einen triftigen Grund.«

Bolek kratzte sich am Hals, als sei ihm etwas sehr peinlich. Aber dann überwand er sich und sagte: »Na schön. Du willst einen triftigen Grund? Von mir aus. Du schuldest mir noch einen Hunderter. Für mich jedenfalls ist das triftig genug.«

15

Entweder war Bolek der geizigste oder der selbstloseste Mensch, den ich bis jetzt in Wien getroffen hatte. Er löste sein Versprechen am nächsten Tag ein. Wir fuhren morgens mit der U-Bahn zum Mexikoplatz und betraten einen Spielzeugladen, der seinem Bekannten namens Josef Bernstein gehörte. Obwohl Bolek versprach, es sei nur eine Formalität, hätte ich das Vorstellungsgespräch niemals ohne ihn überstanden.

Nachdem er mich Bernstein vorgestellt hatte, ging dieser um mich herum und betrachtete mich wie ein Auto, das er kaufen, aber wofür er möglichst wenig ausgeben möchte. »Sie sehen nicht aus, als hätten Sie im Leben viel gearbeitet. Um genau zu sein, als hätten Sie schon jemals gearbeitet«, sagte er mit einem witzigen Akzent.

Bevor ich antworten konnte, sprang Bolek für mich ein: »Jeder fängt irgendwann mal an, Josef. Sei ehrlich, wie alt warst du, als du deinen ersten Job hattest?«

»Fünfzehneinhalb.«

»Damals war man aber auch schon mit vierzig tot, oder?«

»Für wen hältst du mich? Für einen Neandertaler?«

Josef Bernstein wandte sich wieder an mich: »Sprechen Sie überhaupt deutsch?«

»Ein bißchen.«

Bolek lachte: »Der Bursche ist bescheidener, als die Polizei erlaubt. Du hättest mal hören sollen, wie er in der U-Bahn mit den Skins geplaudert hat. Wie ein Deutschprofessor.«

Josef Bernstein runzelte die Stirn. »Sie sind aber kein Student, oder?«

Ich schüttelte den Kopf.

»Wenigstens etwas. Studenten schwitzen mir zu sehr.«

Er betrachtete mich eingehend und sagte zu Bolek: »Ich würde dem Jungen gerne einen Gefallen tun. Aber heute kommen noch drei andere Bewerber. Sag mir einen Grund, warum ich ausgerechnet diesem Schlawiner den Job geben sollte? Wenigstens einen einzigen.«

In diesem Moment wußte ich, daß es gutgehen würde. Im Erfinden von Gründen, insbesondere triftigen, konnte niemand Bolek das Wasser reichen.

»Du willst einen Grund?« schmunzelte Bolek. »Von mir aus. Keiner deiner Bewerber hätte jemals diese Schwimmbadsache überlebt. Waldemar hat immer Glück. Und so jemand bringt auch Glück.«

Ich mußte mich verhört haben. Seit wann hatte ich Glück? Und als Glücksbringer taugte ich ungefähr soviel wie Herrn Kukas Feuerzeug.

Bernsteins Gesichtsausdruck änderte sich schlagartig. Er ging noch einmal um mich herum, als sähe er mich jetzt im ganz anderen Licht. Ich hatte noch nie so einen neugierigen Menschen gesehen.

»Ist das wahr?« fragte er. »Sie haben diese Schwimmbadsache auch überstanden?«

»Zufällig stand ich hinter einem Baum, als die Polizei kam.«

»Zufälle sind etwas für Ballonfahrer, mein Junge«, belehrte er mich und betrachtete mich noch mal. Diesmal viel freundlicher. »Meinetwegen. Ich gebe Ihnen eine Woche, um sich hier einzuarbeiten. Sie werden nicht nur den Verkauf, sondern alles machen. Wenn es nicht klappt, geben wir uns am Ende der Woche die Hand. In Ordnung?«

Er streckte die Hand aus zum Zeichen, daß ich einschlagen sollte.

Ich erwiderte seinen Händedruck und schwor mir, daß es am Ende der Woche nicht dazu kommen würde, ihm wieder die Hand zu geben.

Bernstein sah Bolek lächelnd an: »Dann würde ich sagen, es wird Zeit, deinen neuen Verkäufer auszuprobieren. Seien Sie so nett, und holen Sie uns aus meinem Büro drei Würfel Zucker, Waldemar. Wenn ein neuer Angestellter kommt, soll man sich am ersten Tag einen Würfel Zucker unter der Zunge zergehen lassen. Ansonsten bringt er uns allen Pech.«

Und da begriff ich, was los war. Dieser Gauner Bolek hatte Bernstein an seiner Achillesferse erwischt. Bernstein war abergläubisch wie eine alte Jungfer.

Von da an kam ich immer um acht in den Laden und blieb bis sechs. Bernsteins Laden bestand aus zwei Räumen: einem kleinen Hinterzimmer, wo er sein Büro hatte, und einem großen Verkaufsraum, wo der Ladentisch und die Kasse standen. Das war mein

Platz. Wenn ich nicht gerade an der Kasse saß, machte ich die Auslage und stapelte Spielzeug in die Regale. Wenn sonst nichts zu tun war, setzte ich Barbiepuppen den Kopf ein, den sie beim Transport verloren hatten. Und da kein anderes Spielzeug so leicht den Kopf verliert, beherrschte ich das bald mit geschlossenen Augen. Für all das bekam ich vierzig Schilling pro Stunde. Aber ich hätte es auch für weniger gemacht. Ich war Bernstein so dankbar, daß ich mich mit Lichtgeschwindigkeit bewegte, wenn er im Laden war. Ich wußte nicht, wie ich meine Dankbarkeit sonst zeigen sollte. Insgeheim wunderte ich mich sogar ein bißchen, daß er mich so vom Fleck weg genommen hatte. Ich war zwar auf Boleks Empfehlung gekommen, aber immerhin stammte ich aus einem Land, das stark etwas gegen Juden hat. Bernstein wußte das bestimmt, so wie er auch wußte, daß es noch heute bei uns von Leuten wimmelt wie Onkel Milosch.

Als ich zehn war, kam eines Tages ein sonderbarer Mann zu uns in die Schule, der sich Onkel Milosch nannte. Obwohl es Sommer war, ging er in einem zugeknöpften schwarzen Ledermantel im Klassenzimmer auf und ab und zählte laut auf, woran man einen Juden erkennen kann. Zum Schluß malte er eine Hakennase an die Tafel, wie sie Bösewichter in Märchen haben. Er sagte, diese Judennase ist genauso schwer zu übersehen wie eine rote Ampel. Leider sagte er nicht, wozu wir nach jüdischen Nasen Ausschau halten sollten. Er hatte das am nächsten Tag nachholen wollen, aber es kam wohl etwas dazwischen, denn wir sahen ihn nie wieder. Von

Onkel Milosch blieb nur die Hakennase auf der Tafel übrig.

In den ersten paar Tagen beobachtete mich Bernstein sehr aufmerksam. Aber wie ein Chef seinen Angestellten. Er kam aus seinem Büro und sah sich die Regale an, die ich gefüllt hatte. Anfangs sagte er kein Wort. Nach drei Tagen teilte er mir mit, daß ich nicht nur die ganze Woche, sondern den ganzen Monat bei ihm bleiben könne.

Von da an verwickelte er mich immer öfter in ein Gespräch. Er wollte vor allem, daß ich ihm alle Glücksfälle erzählte, die mir in Wien zugestoßen waren. Ich berichtete ihm von dem Besuch bei Billa, wo mich meine Landsmännin gerettet hatte, von Herrn Kukas Vier Jahreszeiten, die sich letzten Endes als der ruhigste und interessanteste Ort in ganz Wien herausgestellt hatten, und ich faßte ihm noch mal zusammen, wie ich Bolek kennengelernt hatte. Das war der größte Glücksfall von allen.

Bernstein hörte mir aufmerksam zu und sagte schließlich: »Sie haben einen Glücksschatten. Deshalb haben Sie kein reines Glück, sondern immer nur Glück im Unglück. Früher wurden viele Menschen damit geboren. Heute gibt es kaum noch welche, und diejenigen, die diese Gabe besitzen, wissen nicht mal was davon. Heutzutage glauben alle an den Zufall. Das ist die neue Gottheit, zu der jetzt alle beten. Aber es gibt keine Zufälle.« Er zeigte auf sein Geschäft. »Vor fünfzig Jahren passierte etwas, was mir die Augen öffnete. Ich wohnte damals mit meinen Eltern in Lemberg. Eines Tages kamen die Bulldozer angefahren und rissen unser ganzes Viertel nieder, auch unser Holzhaus, und beschlagnahmten alles, was aus Holz war. Sogar unsere Möbel und mein Spielzeug waren ihnen nicht zu schade. Es hieß, man baue eine Papierfabrik für die neue Sowjetunion und brauche jedes Kilo Rohstoff. Sie machten Toilettenpapier mit der amerikanischen Fahne drauf. Zum Jahrestag der Revolution. Ich war sieben Jahre alt, als sich die Sowjetunion mit meinem Haus den Hintern abgewischt hat. Obwohl das schon fünfzig Jahre zurückliegt, frage ich mich täglich, warum ausgerechnet unser Viertel, unser Haus, unsere Möbel? Es gab Hunderte anderer Städte, die an die Sowjetunion gefallen waren. Es gab Tausende anderer Viertel, Millionen anderer Häuser, Milliarden anderer Spielzeuge. Aber sie machte nur aus unseren Toilettenpapier. Von da an wußte ich, daß der Zufall nicht existiert. Oder ist es etwa auch ein Zufall, daß ich das einzige Spielzeuggeschäft auf dem ganzen Mexikoplatz habe? Ich könnte leicht mit Taschenrechnern und Uhren das Doppelte verdienen. Aber nein, ich verkaufe Spielzeug. Und dazu nur aus Plastik.«

Von da an bestätigte sich mein Verdacht, daß Bernstein kein gewöhnlicher Mexikoplatz-Händler war. Daß er wie jeder, dem Unrecht widerfahren war, Wert darauf legte, sich von den anderen zu unterscheiden. Er zog sich sogar anders an. Er trug immer frisch gebügelte Cordhosen und ein Sakko. Verglichen mit den anderen Händlern sah er aus wie ein englischer Lord und wurde von ihnen auch ein bißchen so behandelt.

Aber Bernstein hatte noch ein Geheimnis, hinter das ich erst durch Zufall kam. Oder, wie Bernstein sagen würde, durch das Schicksal.

Eines Tages, es war bereits an meinem fünften Arbeitsmorgen, war Bernstein kurz weggegangen, um etwas zu erledigen. Ich paßte auf das Geschäft auf und spielte zum Zeitvertreib mit Legosteinen. Ich hatte als Kind nie auch nur einen Legostein in die Hand bekommen, so daß ich gewissen Nachholbedarf hatte. Außerdem hatte ich kürzlich irgendwo gelesen, daß das Spielen mit Lego das männliche Gehirn entspannt.

Ich war so vertieft in mein Spiel, daß ich gar nicht merkte, wie jemand den Laden betrat. Erst als dieser Jemand vor meinem Ladentisch stand, sah ich auf und erblickte eine ungewöhnlich gekleidete junge Frau. Sie hatte Stiefel und eine Reithose an und sah aus, als wäre sie auf einem Pferd hereingaloppiert. Sie musterte mich von oben bis unten und nickte, als hätte sich ein Verdacht bestätigt.

»So ungefähr habe ich mir Sie vorgestellt«, sagte sie, »zu jung, unerfahren und mit infantilen Neigungen.«

»Wie bitte?«

Ich war so überrascht, daß diese fremde Frau mich offenbar kannte, daß ich nur dieses »wie bitte« herausbrachte.

Sie zeigte auf mein Legospiel und fuhr mit stoischer Ruhe fort: »Ihr Rechteck da erinnert stark an dieses Schwimmbad, das Sie mit den anderen Pechvögeln in Lainz ausgehoben haben. Wenn Sie damit versuchen, Ihre jüngste Vergangenheit zu bewältigen, dann nehme ich die infantilen Neigungen zurück. Jung und unerfahren allerdings bleibt.«

Ich sah auf meine Klötzchen. Ich hatte ein Rechteck zusammengebastelt, das tatsächlich ein bißchen an das Schwimmbad erinnerte: »Sie scheinen ziemlich alles über mich zu wissen. Darf ich fragen, woher?«

»Josef Bernstein ist nicht gerade das, was man als ›verschwiegen wie ein Grab‹ bezeichnen kann. Ich weiß auch, daß er Sie wegen dieser Geschichte für einen Glückspilz hält. Und da er diesbezüglich gelinde ausgedrückt einen Knall hat, war es nur eine Frage von Sekunden, bis er Sie anstellen würde. Sie haben das wirklich schlau angestellt, Waldemar.«

»Das war nicht ich, sondern mein Freund Bolek. Woher kennen Sie meinen Namen?«

»Dreimal dürfen Sie raten. Das war das erste, was mir Bernstein gesagt hat.«

»Und darf ich fragen, wie Sie heißen?«

»Nein. Denn jetzt wechseln wir das Thema. Holen Sie bitte Josef aus seinem Büro. Ich muß mit ihm ein Hühnchen rupfen.«

»Ich fürchte, das müssen Sie verschieben. Er ist im Moment nicht da.«

»Das ist unmöglich. Er hatte eine Verabredung mit mir.«

»Aber um die Zeit ist der Chef immer weg. Er spaziert ganz gerne um diese Zeit ein bißchen auf dem Mexikoplatz herum.«

»Chef?« Sie wendete das Wort im Mund herum, als müßte sie es richtig auskosten. »Welch eine beeindruckende Vokabel. Sie müßten mal Ihren Chef sehen, wie er dreimal mit der Fußspitze auf die Schwelle klopft, bevor er eine Tür öffnet. Oder wie er verzweifelt nach einem Knopf sucht, wenn er eine Nonne sieht.«

»Der Chef hat viel durchgemacht.«

»Mag schon sein. Und er wird gleich noch mehr durchmachen.«

Sie sah auf die Uhr: »Wann kommt er?«

»Er müßte jeden Moment zurück sein. Warten Sie doch hier auf ihn.«

Sie lächelte mir süßlich zu. »Bevor ich auch nur eine Minute auf einen Mann warte, gehe ich lieber zu Fuß auf den Mond. Richten Sie ihm statt dessen etwas aus von mir!«

»Selbstverständlich.«

»Na glänzend! Dann geben Sie mir diese Barbiepuppe da.«

Sie zeigte auf ein Modell auf dem Regal hinter mir.

»Das Ananasmodell? Sehr gerne.«

Ich reichte ihr die Puppe. Sie nahm sie und betrachtete sie angeekelt. Frauen sind wirklich großartige Schauspielerinnen. In einer Sekunde lächeln sie, und in der nächsten sehen sie drein, als wäre ihnen eine Schlange unter die Bluse gekrochen.

»Richten Sie Ihrem Chef aus, daß er eine Stunde Zeit hat, Irina anzurufen. Wenn nicht, kann er heute mit diesem Ding ins Theater und meinetwegen auch ins Bett gehen. Adieu, Schwimmbad.«

Sie warf mir die Puppe zu, und ich fing sie auf. Ich war inzwischen ziemlich flink, wenn es um Barbiepuppen ging.

Sie marschierte zum Ausgang. Ihre Stiefel krachten auf dem Boden wie Revolverschüsse.

Mit der Puppe im Arm sah ich ihr nach, bis sie verschwand. Und plötzlich wurden mir zwei Dinge klar. Bernstein hatte eine Geliebte, die zweimal jünger war als er. Und zweitens: Diese Geliebte sah jemandem verblüffend ähnlich, den ich kannte. Es fiel mir bloß nicht ein, wem. Dabei lag es mir auf der Zunge.

Ein paar Minuten später marschierte Bernstein durch die Tür. Als ich sagte, daß gerade eine gewisse Irina nach ihm gefragt habe, wurde er aschfahl und hob die Hand, als wollte er etwas abwehren: »Sie haben mir nichts gesagt, und ich habe nichts gehört. Verstanden?«

Er ging in sein Büro und schloß die Tür hinter sich. Eine Minute später hörte ich, wie er mit jemandem durch das Telephon stritt.

16

Von da an ging es mit mir nach oben wie mit diesen Raketen, die die Amerikaner ins Weltall schießen. Nachdem ich meine Schuld bei Bolek beglichen und noch einen Hunderter draufgelegt hatte, kam er zu dem Schluß, daß jemand, der so ehrlich ist, auch ein Dach über dem Kopf verdient. Und da gerade bei ihm ein Bett frei geworden war, zögerte ich nicht, sein Angebot anzunehmen. Das Übernachten im Belvedere wurde auch langsam anstrengend, weil die Touristen immer unverschämter wurden. Inzwischen mußte ich schon ganze Ausflüge abfotografieren, was dazu führte, daß ich langsam dem Wärter auffiel.

Boleks Wohnung lag im zweiten Bezirk neben dem Prater. Sie war im obersten Stock eines alten Mietshauses und bedeutete einen beträchtlichen Zivilisationssprung für mich. Wenn ich mich aus dem Fenster lehnte, sah ich das Riesenrad, wo man mich eine ganze Umdrehung lang für einen Russen gehalten und mir gezählte siebzehn Schokoriegel zugesteckt hatte.

Im Wohnzimmer standen ein Schwarzweißfernseher und vier Stockbetten. An der Decke hing ein Kronleuchter, der so viel Strom fraß wie eine Meereslaterne. Wenn man ihn einschaltete, konnte man auf dem Boden die Mikroben spazierengehen sehen. Das

Besondere an der Wohnung war das Klo. Es war nämlich keins da. Bolek meinte, daß es sich schon allein deshalb gelohnt hatte, nach Wien zu fahren. Ich brauchte eine Weile, um zu begreifen, daß die kleine Toilette auf dem Gang, zu der noch zwei andere Personen einen Schlüssel hatten, unser Klo war. Glücklicherweise waren diese zwei Personen ganz harmlos. Es waren ein arabischer Zeitungsverkäufer, der bei dem Wort »Kronenzeitung« Magenkrämpfe bekam, und eine Pensionistin namens Gertrude Rafla. Sobald sie die Spülung hörte, trabte sie in die Toilette und zählte die Klopapierblätter nach, um sicherzugehen, daß niemand ein paar Zentimeter zuviel von ihrem Toilettenpapier geklaut hatte.

Ohne es zu wissen, verdankte ich meine Bleibe auch Boleks anderem Untermieter. Sobald er von dieser Schwimmbadgeschichte gehört hatte, war er sofort dafür, daß ich dort einziehen sollte. Er hieß Lothar und kam aus Stuttgart. Lothar war nicht nur der erste Deutsche, den ich im Leben kennengelernt hatte, sondern auch der erste, der Polnisch sprach. Lothar hatte einen komischen Akzent, aber er sprach fast perfekt, auch wenn er behauptete, daß dabei polnische Studentinnen nachgeholfen hatten. Und zwar in Augenblicken, wo er sogar die Differentialrechnung begreifen würde.

Lothar strotzte nur so vor außergewöhnlichen Eigenschaften, die nach und nach ans Tageslicht kamen. Obwohl er aus einer sehr reichen Familie kam, war er ein Muster an Bescheidenheit. Der größte Beweis dafür war wohl die Tatsache, daß er unsere Garçonnière einer luxuriöseren Bleibe vorzog. Er hätte sich für das Geld, das ihm seine Eltern schickten, ohne weiteres ein Studentenzimmer oder sogar eine Wohnung im ersten Bezirk leisten können. Aber er behauptete, daß er Studenten nicht ausstehen könne und daß er im Leben noch lange genug Gelegenheit haben würde, im ersten Bezirk zu wohnen. Spätestens dann, wenn seine Chirurgenhände anfangen würden, ihn zu ernähren.

Einen Tag nachdem ich eingezogen war, machten sie eine Art Willkommensfeier für mich. Auf dem Tisch standen Wodka, den nur Bolek trank, und ein Haufen Sandwiches mit Lachs und Kaviar, für die Lothar gesorgt hatte. Wir saßen zu dritt in der Küche und erzählten uns gegenseitig alle möglichen Ereignisse aus unserem Leben. Dabei erfuhr ich, warum Lothar ausgerechnet in Wien studierte. Daran war sein Vater schuld, ein angesehener Chirurg aus Stuttgart. Er hatte Lothar nicht nur gezwungen, Medizin zu studieren, sondern auch, nach Wien zu gehen. Er hielt Wien für die romantischste Stadt der Welt. Als junger Student war er nämlich eines Tages in einen Wiener Antiquitätenladen gegangen, um sich eine Kuckucksuhr zu kaufen. Während er nach einem richtigen Exemplar suchte, kam eine junge Frau in den Laden mit genau der Uhr, die er haben wollte. Sie ließen den Verkäufer stehen und gingen in ein Kaffeehaus, um sich über den Preis zu einigen. Und während sie über den Preis feilschten, merkten sie, daß sie sich ineinander verliebt hatten. Das Resultat dieser Kuckucksuhrtransaktion war Lothar.

Lothar glaubte, daß seine Alten diese Geschichte absichtlich erfunden hatten, um ihn nach Wien zu verfrachten. Er konnte sich schwer vorstellen, wie seine Mutter, eine Frau, die in einem Versace-Kleid Plätzchen backte und die schon seit Jahren keinen Geldschein gesehen hatte und alles mit Kreditkarte bezahlte, vor über zwanzig Jahren mit einer Kukkucksuhr unter dem Arm Antiquitätenläden abklapperte, um dort ausgerechnet auf seinen Vater zu stoßen.

Im Gegenzug erzählte auch ich etwas über meine Eltern. Und zwar die Geschichte von dem Tag, wo sich das Gespenst des Ehebetrugs über unser trautes Heim senkte und meine Mutter sich für zehn Stunden in ihrem Zimmer einschloß. In dieser Zeit strickte sie einen rekordverdächtig langen Schal fertig und brachte sich noch nebenbei das Rauchen bei. Dann breitete sie diesen knallroten Schal auf dem Boden aus, so daß mein Vater, wo immer er sich in der Wohnung aufhielt, von diesem Schal verfolgt wurde. Erst als er meiner Mutter sechzehn Rosen kaufte, die Zahl ihrer Ehejahre, rollte sie den Schal ein und machte noch am selben Tag sechzehn kleine Schals daraus, die mein Vater und weiß Gott warum auch ich im Winter tragen müssen und die wohl bis an unser Lebensende reichen werden.

Gegen Mitternacht, als wir schon langsam ans Schlafengehen dachten, kam es zu einem kleinen Zwischenfall, der eine weitere ungewöhnliche Charaktereigenschaft Lothars aufdeckte.

Bolek stand auf und ging zum Spiegel. Er betrachtete sich eine Weile darin und begann sein Gesicht wie eine überreife Zuckermelone zu kneten: »So ein Mist. Ich bin ganz grün«, sagte er.

Wir sahen ihn an. Er hatte recht. Er war grün wie ein Salatkopf.

»Das war wieder dieser Scheißlachs von Julius Meinl. Warum besorgst du ihn nicht mal woanders?« beschwerte er sich bei Lothar.

»Mein Lachs ist frisch wie immer. Der verträgt sich bloß nicht mit Wodka.«

»Wenn du mir noch mal diesen Fisch ins Haus bringst, fliegt er aus dem Fenster«, drohte Bolek an und befühlte seine Nase.

Wenn man den beiden so zuhörte, erinnerte das stark an ein altes Ehepaar.

Ich sah Lothar an und sagte: »Ich frag mich, ob du nicht übertreibst, Bolek. Ich habe einen Monat lang Thunfisch gegessen und bin kein einziges Mal grün geworden. Lothar kann ja nächstes Mal Fischstäbchen besorgen. Er ist zwar reich, aber sogar für ihn liegt das Geld nicht auf der Straße.«

Bolek sah zu mir herüber, als wäre mir plötzlich ein Hirschgeweih aus dem Kopf gewachsen. Er wandte sich mit einem süßlichen Lächeln an Lothar: »Ach ja? Na, dann erklär doch mal deinem Beschützer, für welches Geld du diesen Lachs gekauft hast.«

Lothar hüstelte: »Ich gebe Nachhilfestunden in Philosophie. Die werfen einiges ab.«

»Nachhilfestunden in Philosophie!« rief Bolek. »Da lachen ja die Totengräber! Er klaut einfach alles. Der würde sogar dem Stephansdom die Turmspitze klauen, wenn sie nicht so schwer wäre. Deshalb wohnt er ja auch hier. Aus jedem Studentenheim wäre er schon längst rausgeflogen.«

»Durchaus nicht«, verbesserte Lothar würdevoll.

»Was ich mache, kann man kaum als Klauen bezeichnen. Aber ich versuche das diesem Esel schon seit Monaten vergeblich begreiflich zu machen. Denn im Gegensatz zu ihm stecke ich noch voller Ideale.«

»Und sein Schrank voller Stereoanlagen.«

Ich fiel fast vom Stuhl, als ich das alles hörte. Lothar sah so unschuldig aus wie ein Ministrant in Zivil. Außerdem war er Deutscher. Deutsche klauen nicht.

»Ist das wahr?« fragte ich.

Lothar schüttelte den Kopf: »Bolek verkennt vollkommen die Lage.«

Er nahm ein Lachssandwich vom Teller und hielt es in die Höhe: »Waldemar, du siehst wie jemand aus, der mich verstehen wird. Ich werde das jetzt mal an einem guten Beispiel veranschaulichen.«

Ich blickte auf das Lachssandwich wie auf eine Hostie. Bolek kehrte auch an den Tisch zurück.

»Stell dir vor, Waldemar, du bist dieser Lachs. Den ganzen Tag schwimmst du herum in deinem Fluß und scherst dich um nichts. Rumschwimmen – das tust du eben gern. Was anderes willst du gar nicht. Ist ja deine Natur. Doch irgendwann kommen die Fischer und werfen ihre Netze aus. Sie haben persönlich nichts gegen dich, aber sie müssen ja auch von was leben. Kabel-TV, Stromrechnung, all das hängt an deinem kleinen rosaroten Körper. Deshalb reißen sich die Fischer so lange den Hintern auf, bis du im Netz zappelst. Dann liefern sie dich an die Fabrik und bekommen ganze fünfzig Schilling für dich. Die Fabrik macht aus dir einen Schottischen Wildwasserlachs und steckt dich in Klarsichtfolie. Du siehst überhaupt nicht wie ein Lachs aus, kostest aber schon das Doppelte. Freie Marktwirtschaft. Zum Schluß kommst du zu Julius Meinl, und der verdoppelt noch mal den Preis, nur weil er dich neben Frutti di mare ins Kühlregal gelegt hat. Also ich weiß nicht, wie ihr das nennt, aber ich nenne das eine Frechheit. Deshalb tauche ich ab und zu bei Julius Meinl auf und befreie den Lachs mit meinen Chirurgenhänden aus dem Tiefkühlregal. Könnt ihr mir folgen, oder soll ich mir auch noch den Kaviar vornehmen? Seine Geschichte ist wirklich nicht lustig. Schließlich ist es ungeborenes Leben.«

»Und du bist ganz sicher kein Kommunist, Lothar?«

»Würde ich dann Lachs essen?« Lothar steckte sich das Sandwich in den Mund und mampfte es demonstrativ auf.

»Mir wird gleich übel«, stöhnte Bolek. »Ich muß mich hinlegen.«

Er rappelte sich auf.

Lothar und ich wollten ihm unter die Arme greifen, denn er sah wirklich nicht gut aus. Er war jetzt neongrün. Aber er wehrte ab und wankte quer durch die ganze Küche zum Wohnzimmer.

»Waldi, geh schlafen«, sagte er, als er in der Tür stand. »Und hör nicht auf ihn. Du mußt früh aufstehen, um dich morgen von Bernstein beklauen zu lassen.«

Er ließ die Tür hinter sich ins Schloß fallen. Ich sah auf die Uhr. Es war schon halb eins. Es war höchste Zeit, ins Bett zu gehen, aber ich mußte noch etwas in Erfahrung bringen, sonst würde ich nicht einschlafen können.

»Eins verstehe ich noch immer nicht. Warum klaust du, wenn du dir alles leisten kannst? Das ergibt doch keinen Sinn«, fragte ich.

»Alles ergibt einen Sinn. Man muß nur danach suchen. Ich kann es dir verraten, wenn du es nicht weitererzählst. Das ist ein Geheimnis.«

Lothar zeigte auf die Wodkaflasche. »Aber vorher trinken wir noch einen. Schließlich sind wir nicht mal richtig per du, oder?« Lothar goß ein Gläschen ein und schob es mir zu. Dann goß er sich selber eins ein.

»Ich kann Wodka nicht ausstehen«, warnte ich ihn.

»Also, je besser ich dich kennenlerne, desto mehr glaube ich, daß aus dir ein erstklassiger Deutscher werden könnte.«

»Und aus dir ein ganz guter Landsmann.«

Er hob sein Gläschen: »Sag Lothar zu mir.«

Ich hob meins und ahmte ihn nach: »Nenn mich Waldi.«

Wir tranken. Es war kaum zu fassen. Mein erstes Gläschen Wodka im Leben trank ich mit einem Deutschen. Das würde mir nicht einmal Herr Kuka glauben.

Ich stellte das Gläschen hin und wischte mir den Mund ab. »Na gut. Warum klaust du wirklich?«

Lothar goß sich noch ein Gläschen ein und kippte es in einem Zug runter. Ich dachte, er will sich vor einer Antwort drücken, aber er stand auf und ging zum Fenster. Er winkte mich heran. »Komm her. Ich will dir was zeigen.«

Ich ging hinüber und stellte mich vor das Fensterbrett. Draußen war eine sternenklare Nacht. Eine warme Brise wehte vom Prater herüber. In den meisten Wohnungen war das Licht schon ausgegangen. Lothar zeigte mit der Geste eines Reiseführers auf das Panorama vor uns.

»Was siehst du, wenn du hier hinausschaust?«

»Ich sehe Wien.«

»Was noch?«

»Wenn ich mich ein Stück hinauslehne, das Riesenrad.«

»Niemand lehnt sich freiwillig hinaus, um das Ding zu sehen. Ich meine, was siehst du allgemein?«

»Den Westen. Eine Welt, auf die ich schon neugierig war, als ich noch zur Schule ging.«

Er tätschelte mir die Schulter.

»Und das ist das, was mir so an euch Ostlern gefällt. Ihr würdet sogar auf einer Müllhalde Juwelen finden. Ich sehe nämlich nichts ›Außergewöhnliches‹, verstehst du? Für mich ist das alles nur ein See voller Fischer, die armen Lachsen nachjagen, um sie dann an die große Fabrik zu liefern.«

Er legte sich die Hand ans Ohr: »Und hörst du wenigstens dieses Geräusch?«

Ich horchte hinaus. Aber ich hörte nur die Straße.

»Das ist der See, auf dem wir Westler herumschwimmen. Ich kann es auf den Tod nicht ausstehen. Es lullt uns alle gründlich ein. Aber man muß schon viel Glück haben, damit einem das klar wird. Weißt du, wie ich draufgekommen bin? Ich ging eines Tages in der Innenstadt in eine Boutique, um mir eine Mütze zu kaufen. Sie war sündhaft teuer, aber meine Eltern gaben mir genug Geld. Während ich die Mütze anprobierte, ging die Verkäuferin einen Moment lang nach hinten. Ich weiß nicht, warum, aber plötzlich steckte ich die Mütze ein und verließ den Laden. Ich dachte, die Verkäuferin würde mir nachrennen oder die Polizei rufen, aber nichts passierte. Das verblüffte mich aber nicht so wie meine Hände. Sie zitterten nicht. Ich war überhaupt nicht nervös, verstehst du? Zuerst dachte ich, es wäre so wie beim ersten Flug mit dem Flugzeug, wo man auch keine Angst hat. Aber ein paar Tage später klaute ich wieder was, und das Ganze wiederholte sich. Kein Händezittern, nichts. Und da wußte ich, daß mit mir was nicht stimmt. Jeder, der klaut, sogar der beste Dieb, empfindet Angst. Da sagte ich zu mir: Jetzt klaust du so lange, bis du wieder normal bist. Bis dir eines Tages an der Kasse das Herz vor Angst in die Hose fällt.«

Lothar sah hinaus: »Ich glaube, ich bin so ähnlich wie Schneewittchen. Bloß muß ich mir selber auf den Glassarg klopfen, um aufzuwachen. Die Stereoanlagen, Walkmen, Chanel No. 5: alles verzweifelte Klopfzeichen. Bolek versteht das nicht.«

»Und wenn dir eines Tages die Polizei auf den Sargdeckel klopft?«

Lothar tätschelte mir die Schulter: »Mal nicht gleich den Teufel an die Wand –«

Er verstummte. Über uns hingen Millionen von Sternen. Sie schienen so nah, daß man mit Steinen nach ihnen hätte werfen können. Ich hörte noch immer nichts außer der Straße.

»Ich muß morgen früh aufstehen«, sagte ich. »Ich gehe jetzt ins Bett. Gute Nacht.«

»Gute Nacht. Ich bleibe noch eine Weile da.«

Ich ging durchs Zimmer und öffnete leise die Schlafraumtür.

»Waldemar?« rief Lothar leise.

»Ja?«

»Gut, daß du da bist. Große Dinge warten auf uns.«

Ich nickte und verschwand im Schlafraum. Ich suchte im Dunkeln mein Bett, zog mir schnell den Pyjama an und legte mich hin. Im Bett an der Wand wälzte sich Bolek auf den Rücken. Er war durch mein Kommen kurz aufgewacht.

»Waldi, schläfst du schon?« flüsterte er.

»Ja. Fast.«

»Hat er wieder von Schneewittchen erzählt?«

»Ich dachte, es wäre ein Geheimnis.«

»Nimm das nicht so ernst. Die Deutschen machen sogar aus dem Pinkeln eine Philosophie. Lothar klaut nun mal gern und weiß nicht, wie er es sagen soll. Ansonsten ist er ganz in Ordnung.« Bolek wälzte sich wieder zur Wand und begann zu schnarchen.

Ich legte die Hände unter meinen Kopf und sah zur Zimmerdecke. Ich vermißte die Sterne, die ich im Belvedere immer vor dem Einschlafen gesehen hatte. Jetzt mußte ich mich aus einem Fenster lehnen, um sie zu sehen.

Ich machte einen Vermerk in mein Reisetagebuch, das ich mir auf dem Arbeiterstrich geschworen hatte nicht mehr anzurühren:

»Nach zwei Wochen Belvedere bin ich wieder unter einem Dach. Meine zwei Mitbewohner heißen Lothar und Bolek. Bolek arbeitet am Preßlufthammer und ist so stark, daß er mich mit bloßen Händen erwürgen könnte. Lothar ist der erste Deutsche, den ich jemals kennengelernt habe. Wenn alle Deutschen so sind, dann werde ich eines Tages sogar nach Deutschland auswandern. Er hat nicht nur originelle Ansichten, was die Aneignung fremden Eigentums angeht, er hält sich auch für Schneewittchen. Aber als er mir vorhin diese Geschichte mit dem Schlaf aufgetischt hat, hatte ich für einen Moment einen merkwürdigen Gedanken. Was wäre, wenn er recht hat? Was wäre, wenn ich auch schlafe und hierhergekommen bin, um daraus aufzuwachen? Aber ist das nicht ein Widerspruch? Wie kann man an einem Ort, wo alle schlafen, wach werden? Ich fürchte, von diesem Lothar könnte sogar Herr Kuka noch was lernen.«

Ich schloß mein Tagebuch und wälzte mich auf die Seite. Dann schlief ich wie ein Murmeltier.

17

Um in der Garçonnière wohnen zu bleiben, mußte ich noch eine wichtige Bedingung erfüllen. Ich mußte Frau Simacek gefallen. Sie war unsere Vermieterin, und sie entschied, wer für zweitausend im Monat das Bett haben durfte. Ich hätte eine Weile schwarz wohnen können, denn Frau Simacek wohnte am anderen Ende Wiens in einer Villa und kam nur einmal im Monat vorbei. Aber im Parterre wohnte das Hausbesorgerpaar Plachuta, deren Ahnen schon spionierten, als sich der Rest der Menschheit noch von Ast zu Ast hangelte.

Als Frau Simacek zwei Tage, nachdem ich eingezogen war, bei uns anrief, wußte sie bereits, daß ich etwa eins achtzig groß war, merkwürdige Turnschuhe trug und erstaunlich kurz auf dem Klo saß. Das einzige, was sie nicht wußte, war, ob ich mir die Miete leisten konnte.

Lothar erklärte ihr, daß ich aus reicher Familie kam, so daß Geld das kleinste meiner Probleme wäre. Darüber hinaus beschrieb er mich als einen ruhigen jungen Mann mit einem leichten Hang zur Melancholie und großer Abneigung gegen Wodka.

Daraufhin konnte Frau Simacek nicht mehr erwarten, mich kennenzulernen, und kündigte sich für einen Besuch an, worauf sofort gewisse Vorbereitungen getroffen wurden. Bolek holte aus dem Schrank einen Staubsauger, der so groß wie ein Küchenherd war, und saugte alles auf, was er des Aufsaugens wert befand. Beinah hätte ich dabei meine beiden Schuhe verloren.

Inzwischen trichterte mir Lothar ein, was ich zu Frau Simacek sagen durfte und was nicht. Ich durfte demnach nur meinen Namen und meinen Beruf verraten, ansonsten sollte ich wie ein Grab schweigen. Aus einem unerfindlichen Grund bestand Lothar darauf, daß ich mich als Friseur ausgeben sollte. Als ich mich weigerte, tröstete er mich damit, daß Bolek sich am Anfang auch gegen einen Diplomingenieur gesträubt hatte. Aber inzwischen hat er sich so daran gewöhnt, daß er sich morgens beim Rasieren mit Herr Diplomingenieur anspreche.

Nachdem das geklärt war, ging ich mit Lothar in die Innenstadt, um ein paar Süßigkeiten zu besorgen, für die Frau Simacek zu jeder Schandtat bereit war.

Wir betraten eine ganz feine Konditorei, die voller reicher alter Damen war, die jeden Bissen ihrer Tortenschnitten mit ihrem Schoßhund teilten. Die Kellnerinnen waren nicht viel jünger, dafür aber gekleidet wie in einem Mädcheninternat. Lothar ließ mich am Eingang stehen und ging zu einer Vitrine mit Mehlspeisen, die wie Goldbroschen aussahen und auch so viel kosteten.

Er öffnete leise die Vitrine, und sein Arm verschwand darin bis zum Ellenbogen. Er holte sechs Briochekipferln an die Oberfläche und steckte sie in seine Tasche. Mir blieb das Herz stehen, als ich das sah.

Doch wie durch ein Wunder ging alles seinen gewohnten Gang. Die Kellnerinnen liefen nach wie vor gestreßt zwischen den Tischen hin und her, und die alten Damen stocherten weiter in ihren Mehlspeisen herum.

Es war so, als hätte Lothar für einen Moment, in dem er sich alles erlauben konnte, die Zeit angehalten. Mir wurde klar, daß ich soeben einen Künstler bei der Arbeit gesehen hatte. Als wir die Konditorei verlassen hatten und ein paar Ecken weitergegangen waren, blieb Lothar stehen und streckte stolz seine Hände aus. Sie waren wie in Stein gemeißelt.

»Schau her«, sagte er. »Nichts. Sie machen nicht einmal einen Mucks.«

Im Gegenzug streckte ich meine Hände aus. Sie sahen aus, als hätte ich Parkinson im Endstadium.

Lothar sah mich melancholisch an und tätschelte mir die Schulter: »Wann kommt endlich der Tag, wo ich auch soweit sein werde?«

Schon allein deswegen wuchs Frau Simacek in meiner Vorstellung zu einer Frau, die uns alle eigenhändig erwürgen konnte. Ich hätte fast hysterisch aufgelacht, als ich sie schließlich in unserer Tür erblickte. Frau Simacek war eine kleine siebzigjährige Pensionistin mit einer aufgesprungenen Krokodilledertasche am Arm. Sie trug eine Art Minirock aus Wolle und Schuhe mit hohen Absätzen. Außerdem war sie so stark geschminkt, daß sogar ihre Zähne was abbekommen hatten. Ich wußte nicht, ob ich lachen oder weinen sollte. Denn immerhin war es die erste Frau in Wien, die sich für mich schön gemacht hatte.

»Grüß euch Gott, ihr Männer«, begrüßte sie uns von der Schwelle aus und zeigte in unsere Wohnung. »Darf ich bitte eintreten?«

»Aber selbstverständlich. Nur herein in die gute Stube«, sagte Lothar, der den Hausherrn spielte. Er sprach in vollendetem Hochdeutsch und verwendete sicherheitshalber Ausdrücke aus einem österreichischen Heimatfilm, den wir kürzlich zu dritt im Fernsehen gesehen hatten.

Frau Simacek stelzte durch die Küche bis ins Wohnzimmer, wo sie auf dem freien Bett Platz nahm.

»Was möchten Sie denn trinken, Frau Simacek?« erkundigte sich Lothar.

»Eine Melange, bitte. Nein, warten Sie, vielleicht doch einen Braunen. Ich hab's mit dem Magen in letzter Zeit, wissen Sie.«

»Ein Brauner. Kommt sofort«, rief Lothar und rauschte in die Küche ab. Sein Kopf tauchte nur noch kurz in der Tür auf, als er rief: »Machen Sie sich doch bitte inzwischen mit Waldi bekannt. Das ist der mit dem kurzen Haar.«

Frau Simacek lehnte sich ein wenig zurück und legte sich die Krokodilledertasche in den Schoß. Sie stieß einen Seufzer aus, und ihr Blick landete auf mir.

»Hat er auch einen Namen?«

Das war mein Stichwort. Ich antwortete: »Küß die Hand, gnädige Frau. Ich bin der Waldemar.«

Das war mein erster Satz im Wiener Dialekt. Ich hatte einen Tag lang daran gefeilt. Nicht umsonst, denn Frau Simaceks Augenbrauen schossen nach oben.

»Na so was! Der kann ja reden. Und charmant auch noch.«

»Und Geld schon in der Tasche«, ergänzte Bolek, der neben mir saß und, solange Lothar weg war, über alles wachte.

Frau Simacek sah ihn verblüfft an: »Aber Herr Diplomingenieur! Da ist ja wohl eine Epidemie ausgebrochen. Sie sprechen auf einmal auch deutsch.«

Bolek wurde rot und nickte: »Ein bißchen etwas, wenn es sein muß, gnädige Frau.«

Frau Simacek wandte sich wieder mir zu: »Also so schaut der junge Mann aus, der ein Bett in der Wohnung möchte?«

Ich nickte.

»Ja, haben Sie denn überhaupt so viel Geld? Ich nehme zweitausend dafür.«

Ich nickte so selbstverständlich, als würde ich jeden zweiten Tag zweitausend ausgeben.

»Darf ich überhaupt fragen, woher Sie denn kommen?«

»Aus Warschau, gnädige Frau.«

»Warschau? Kommen Sie nicht auch aus Warschau, Herr Diplomingenieur?«

»Nein, ich war aus Tschenstochau.«

»Ach so. Klingt aber sehr ähnlich. Wir Wiener haben ja nicht so ein gutes Gehör für die ganzen ausländischen Namen. Und was haben Sie da gemacht in dem Warschau? Auch studiert wie die Kollegen?«

»Nein. Ich war Friseur.«

Frau Simacek verschlug es die Sprache. Sie klatschte in die Hände. »Jessas na! Hab ich das richtig gehört? Ein Friseur? Aber jetzt in Wien sind Sie was anderes, oder?«

»Jetzt bin ich Verkäufer.«

»Na ja, bitte, ist auch nicht schlecht. Sie brauchen sich ja nicht zu schämen deswegen. Jede Arbeit ist gut. Hauptsache, man hat Geld. Wenn ich mal überleg, wie teuer da alles ist. Gehen Sie nur mal in den Julius Meinl.«

In diesem Moment erschien Lothar mit dem Braunen und den Briochekipferln auf einem Tablett in der Tür und rief feierlich: »Und hier eine kleine Überraschung für unsere großzügige Hausbesitzerin.«

»Ich bin nur eine kleine Kriegswitwe, Lothar«, wehrte Frau Simacek ab und lugte auf die Überraschung. »Na, das kann doch nicht wahr sein! Die sind ja vom Demel!«

Sie sagte das so, als wären alle vorherigen Briochekipferln nur von der Aida gewesen.

Lothar stellte das Tablett auf dem Fernseher ab, und Frau Simacek griff zu. Sie legte sich zwei Stück auf den Teller, und das dritte stopfte sie sich gleich in den Mund. Sie wirkte plötzlich um zehn Jahre jünger.

Ich gab gleich die Hoffnung auf, auch an ein Briochekipferl heranzukommen. Bolek wollte zugreifen, aber Lothar sandte ihm einen warnenden Blick.

»Sie sind ganz ein Schlauer, Lothar«, lobte Frau Simacek mit vollem Mund. »Sie haben mich gleich durchschaut, daß ich ein richtiges Monster bin, was Süßigkeiten angeht.«

»Ach was«, winkte Lothar bescheiden ab.

Sie tätschelte ihm das Knie. Lothar rückte ein Stück näher, damit sich Frau Simacek wegen ihres Hexenschusses nicht zu weit zu strecken brauchte.

Frau Simacek wendete sich mir zu und sagte: »Also, Waldi. Sie sind mir sympathisch. Machen wir es kurz. Können Sie sich die Wohnung leisten? Zweitausend sind nämlich zweitausend. Und ein Monat ist schnell um.«

»Ich denke, ich kann.«

»Also gut.«

Frau Simacek mampfte das Kipferl unter großem Appetit auf und sprach endlich das aus, worauf wir ungeduldig warteten.

»Von mir aus können Sie bleiben, Waldi. Nur zahlen müssen Sie gleich heute.« Sie nahm einen Schluck Kaffee und wischte sich die Hände ab. »Na ja, ist ja wahr. Ich hab nichts gegen Ausländer. Im Gegenteil, ich find, die Wiener sollten richtig froh sein, daß die Ausländer zu uns kommen und uns die schwersten Hacken abnehmen. Klo putzen, Straßen kehren und Zeitungen verkaufen, das ist nichts für uns, weil wir ja so feine Leute sind. Und trotzdem haben wir die Ausländer nicht besonders gern. Es liegt daran, daß viele Schlawiner zu uns kommen und euch, den guten Ausländern, den Ruf verderben. Die arbeiten hier ein bißchen, päppeln drüben in Rumänien mit unseren Kinderbeihilfen ihre Geschroppen auf, damit die schnell groß werden und unseren Julius Meinl ausräumen können. Aber ich weiß, daß es auch brave wie euch gibt. Bolek ist Diplomingenieur und wird immer kräftiger, und der Lothar geht auf die Uni und spricht schon so gut Deutsch. Und wegen euch wähl ich die FPÖ. Damit nicht noch mehr Neger ins Land kommen und euch die Arbeit wegnehmen. Denn ohne Arbeit gibt es kein Geld, und ohne Geld habt ihr nichts zum Beißen, könnt ihr keine Miete zahlen und müßt am Ende auf der Kärntnerstraße Blockflöte spielen.«

Wir nickten alle nachdenklich.

»Und ich denk, FPÖ soll netter sein zu den Ausländern«, sagte Bolek auf einmal.

»Ach so? Aha? Wieso denken Sie denn das?«

»Wenn Ausländer weg sind, ist FPÖ auch weg.«

Frau Simacek überdachte das und nickte vorsichtig: »Und deshalb braucht die FPÖ jede Stimme. Ihr solltet auch die FPÖ wählen.«

»Aber wir haben keine österreichische Staatsbürgerschaft«, gab Lothar zu bedenken.

»Ach so. Na, ist vielleicht besser so. Ein Wiener zu sein ist nämlich auch nicht einfach. Schlagt doch nur die Kronenzeitung auf. Die ganzen Mordsschwestern, die unschuldige Pensionisten mit einem Kissen ins Jenseits befördern. Die Hausfrauen, die mit ihrem Schäferhund zusammenleben wie mit einem richtigen Mann. Und dann die kleinen Bauernkinder, die zehn Jahre in einer Kiste leben und außer einer Karotte nichts von der Welt zu sehen kriegen. Da fragt man sich wirklich, was wir für Leute sind. Mich wundert es dann nicht, daß jeder zweite aus dem Fenster hüpft, wenn der Föhn kommt.«

»Ach ja. Aber greifen Sie doch bitte zu«, Lothar zeigte auf das Tablett. »Die Kipferln beißen nicht.«

»Recht haben Sie. Gebissen hat mich noch keiner«, Frau Simacek lachte.

Sie stopfte sich das Kipferl in den Mund und sah sich im Zimmer um. »Also, ich muß euch wirklich loben. Lauter Mannsbilder, aber sauber wie in einer Frauenwohnung.«

»Herr Diplomingenieur hat sogar letzten Freitag die Vorhänge gewaschen«, sagte Lothar.

»Alle Achtung! Ein Mannsbild und wäscht wie eine Frau.«

Frau Simacek sah sich weiter um. Sie hatte einen richtigen Röntgenblick. Sie bemerkte sogar eine Kristallvase, die im hintersten Regal stand. Bolek hatte sie neulich von jemandem geschenkt bekommen.

»Ist das aber ein schöner Blumentopf. Ganz aus Kristall. Könnt ihr mir so was auch mal mitbringen?«

»Schwere Sache«, sagte Bolek, »ist keine normale Vase.«

»Was meint er damit?«

»Das ist Rußlandware. Aus Wolgograd.«

»Warten Sie, warten Sie, hat Wolgograd nicht einmal Stalingrad geheißen?«

»Genau«, sagte Lothar, »nach dem Tod Stalins wurde der Name geändert.«

Frau Simacek stieß einen langen Seufzer aus und blickte auf die Vase.

»Dann will ich die nicht mehr. In Stalingrad haben die Russen meinen Mann aufgefressen.«

»Verzeihung? Was haben die gefressen?«

»Na, meinen Herrn Gatten. Meinen Simacek. Das können Sie mir glauben oder nicht. Aber damals nach der Kesselschlacht war so eine große Hungersnot unter den Leuten, da hat es nur noch geheißen, friß oder stirb. Es gab nichts zum Beißen. Der Krieg hat alles ausgelöscht. Das einzige, was es im Überfluß damals gab, war die deutsche Wehrmacht. Die Überlebenden haben erzählt, daß die Russen am liebsten die dreißigjährigen deutschen Soldaten gefressen haben. Und mein Simacek war neunundzwanzig damals. Die haben mir nachher nur einen Kamm und seine Uniformknöpfe geschickt. Ich hab drei Wochen lang geweint um ihn. Hat nichts genützt. Wenn was gefressen ist, ist es gefressen.«

Lothar und ich tauschten einen Blick. Am besten kam Bolek mit dieser Enthüllung zurecht.

»Sie sollten einen Wodka trinken.«

»Ach so? Habt ihr welchen da? Also wenn's kein russischer ist, dann ein Gläschen vielleicht.«

Bolek holte eine Wyborowa-Flasche aus dem Regal und goß Frau Simacek ein Gläschen voll.

»Und was ist mit euch? Trinkt ihr nichts?«

»Wir hassen Wodka«, sagte Bolek, »und Russen auch.«

Frau Simacek kippte ihr Gläschen und schaute melancholisch auf die Kristallvase.

»Aber schöne Vasen machen sie, das muß man schon sagen.«

»Wunderschöne. Bestreitet niemand. Ist doch ein begabtes Volk.«

»Aber brutal. Ich sag euch, wenn die Amerikaner nach dem Krieg nicht gewesen wären, hätten wir jetzt an jeder Ecke einen Russen. Das waren richtige Tiere. Die haben Kinder geschändet und alle Frauen von sieben bis siebzig vergewaltigt. Könnt ihr euch vorstellen, so eine alte Frau wie mich zu vergewaltigen?«

Keiner wagte darauf zu antworten.

Frau Simacek trank aus und stellte das leere Glas auf den Tisch. »Jessas, das ist ein Teufel!«

Sie wischte sich den Mund ab und griff nach dem Umschlag mit der Miete, der die ganze Zeit vor ihr lag. »Das Geld, gelt?«

Sie öffnete den Umschlag und zählte nach. Es waren sechstausend.

»Aha. Der Waldi ist auch schon dabei.«

Sie verwahrte den Umschlag in ihrer Krokodilledertasche und sah auf die Uhr.

»Jessas. Schon fast eins, und um zwei muß ich zum Friseur.«

Sie erhob sich vom Sofa und ging zum Ausgang. Wir begleiteten sie alle drei zur Tür.

»Auf Wiederschauen, und seid brav«, sagte Frau Simacek, »besonders du, Lothar, studier fleißig, damit aus dir ein Parlamentarier wird. Aber sitz nicht zuviel über Unibüchern, damit du dir die Augen nicht verdirbst.«

Das einzige, was Lothars Augen verderben konnte, war der Anblick einer Juwelierauslage.

»Und du, Bolek, sollst auch mal nach Mallorca fahren. Schaust ein bißchen blaß aus. Und Sie, Waldi, wenn Sie schon bei uns wohnen, könnten Sie mir da vielleicht mal die Haare schneiden, oder?«

Wenn ich jemandem die Haare schneiden würde, müßte er sich gleich eine Perücke besorgen.

Lothar sprang ein. »Das macht er garantiert sehr gerne, Frau Simacek. Er macht Ihnen einen erstklassigen Haarschnitt.«

»Na, wieviel möchte er denn dafür?«

»Das macht Waldi gratis.«
»Ist doch nicht wahr? Ja, wann denn?«
»Zum Abschied. Wenn wir ausziehen.«

18

»Die Zeit vergeht wie im Flug, seit ich mit Lothar und Bolek unter einem Dach wohne. Bolek kommt regelmäßig um sechs von der Arbeit zurück. Er macht sich was zu essen und sieht dann zwei Stunden lang fern, um den Preßlufthammer zu vergessen. Lothar geht dafür so gut wie nie außer Haus. Er behauptet, er hat jetzt Ferien. Aber wenn er schon mal geht, dann kommt er immer mit einem Produkt aus der Elektronikbranche zurück.

Allein in der letzten Woche brachte er drei Walkmen, vier Autoradios und eine Frittiermaschine nach Hause. Ich wette, daß seine Hand kein einziges Mal dabei gezittert hat. Bolek versucht das gelassen hinzunehmen. Bei der Frittiermaschine allerdings geriet sein Blut in Wallung. Er vergöttert Pommes frites wie alle Slawen. Er nannte Lothar so lange einen ›billigen Taschendieb‹, bis der sie ihm für den halben Preis verkaufte.

Mir persönlich geht es gut. Das Schwimmbad ist längst vergessen und die anderen Unannehmlichkeiten ebenfalls. Ich gehe oft in der Innenstadt spazieren. Jetzt, wo ich Geld verdiene, sieht Wien ganz anders aus. Manchmal schaue auch ich im Aida vorbei und halte Ausschau nach Kellnerinnen mit Walfischhaarspangen. Beruflich geht es auch aufwärts. Bernstein hat mein Gehalt um zehn Schilling pro Stunde erhöht und gibt mir neuerdings immer in der Frühe die Hand. Er ist hochheilig davon überzeugt, daß ihm das Glück bringt. Er erzählt mir auch seit kurzem diskrete Details aus seinem Leben. So habe ich erfahren, daß er verheiratet und seine Frau eine ehemalige Fallschirmspringerin ist. Er vertraut mir auch hin und wieder sein Geschäft an, wenn er irgendwohin muß. Am Ende der Woche darf ich sogar den Wochenumsatz in einer Spezialdose auf die Bank in den Nachttresor bringen und sie am Montag wieder bei ihm abliefern. Es sind immerhin vierzigtausend Schilling darin, was bedeutet, daß Bernstein mich nicht nur mag, sondern mir auch vertraut. Ich bin froh, daß Onkel Milosch das alles nicht sieht. Aber bei ihm wäre ich schon längst unten durch. Spätestens, seit ich mit Lothar Bruderschaft getrunken habe. Das Wichtigste hätte ich beinah vergessen: Bolek traf neulich eine Frau, mit der er angeblich schon zur Schule gegangen ist. Er will sie uns irgendwann vorstellen. Ich sitze schon wie auf Nadeln, und Lothar hat sicherheitshalber ein Fläschchen Chanel No. 5 besorgt. Wir hoffen, daß Bolek es nicht versehentlich vorher austrinkt. Und dann wäre noch etwas. Ich habe heute Geburtstag.«

Ich schloß mein Tagebuch und legte die Hände unter den Kopf. Es war ein schöner Sonntagmorgen, und ich mußte nicht gleich aufstehen. Ich starrte eine Weile an die Decke, als stünde dort mein ganzes künftiges Leben geschrieben. Nichts war zu sehen. Ich hätte ewig so liegen können. Ich wollte einmal im

Leben meinen Geburtstag im stillen genießen. Ohne Kerzen und Glückwunschkarten, auf denen stand, daß ich mindestens Pilot werden sollte.

Sobald ich mich an der Zimmerdecke satt gesehen hatte, zog ich mich um und ging in die Küche. Bolek war um diese Zeit schon in der polnischen Kirche. Er war einer der wenigen, die noch wegen der Messe hingingen. Lothar saß am Tisch und las die Kronenzeitung, die er bei seinem Morgenspaziergang geklaut hatte.

Ich ging zum Kühlschrank und holte zwei Eier heraus. Dann setzte ich einen Topf mit Wasser auf und legte sie hinein. Ich sprach Lothar in der Frühe nie als erster an, sondern wartete, bis er von sich aus anfing. Er mochte das. Das war so eine Marotte von ihm.

»Hör dir das mal an«, sagte er, als ich mich an den Tisch setzte. Er blätterte eine Seite zurück und begann vorzulesen: »›Der intelligenteste Hund der Welt lebt derzeit in Südafrika. Er kann sich eine bestimmte Anzahl geometrischer Formen merken und bis sieben zählen. Der vierjährige Foxterrier hatte seine Fähigkeiten durch Zufall offenbart. Ein Gummiball, auf dem gleichschenklige Dreiecke abgebildet waren, fesselte ihn mehr als alle übrigen Spielzeuge. Sein Besitzer wurde schnell darauf aufmerksam und kontaktierte ein Spezialinstitut in Johannesburg, um hinter die rätselhafte Vorliebe seines Vierbeiners zu kommen. Bereits die ersten Untersuchungen an dem Hund, der auf den Namen Sokrates hört, übertrafen alle Erwartungen. Sokrates konnte nicht nur ein Dreieck von einem Kreis unterscheiden, er war auch imstande, einstellige Additionen durchzuführen. Die Wissenschaftler aus Johannesburg schließen weitere überraschende Fähigkeiten nicht aus, die in dem vierjährigen Foxterrier noch schlummern könnten.‹«

Lothar sah auf: »Wenn er so weitermacht, eröffnet er in zwei Jahren eine Julius-Meinl-Filiale.«

Ohne die kochenden Eier aus den Augen zu lassen, fragte ich: »Was steht in meinem Horoskop? Ich bin Sternzeichen Löwe.« Ich interessiere mich normalerweise nicht für Horoskope, aber an dem Tag war es etwas anderes.

Lothar blätterte ein paar Seiten weiter und las vor: »›Achten Sie auf Ihre Gesundheit, und gehen Sie nicht in die Sonne, ohne sich vorher einzukremen. Ihr heimlicher Wunsch, Astronaut zu werden, könnte bald in Erfüllung gehen. Sie sollten aber mehr auf Ihre Linie achten und täglich ein Kilo gedörrter Pflaumen essen. Beruflich heben Sie schon jetzt ab wie eine Rakete. Und in Liebesangelegenheiten erwartet Sie heute die größte Überraschung Ihres Lebens.‹«

»Ziemlich gut erfunden.«

»Hey, heiße ich etwa Sokrates?«

Ich holte die Eier aus dem Wasser und richtete alles her. Ich probierte das kleinere. Es schmeckte ausgezeichnet. Ich war aber auch ganz schön hungrig. Und Hunger beeinträchtigt den Geschmackssinn. Ich habe mal gelesen, daß eine Expedition in Alaska derart ausgehungert war, daß die Teilnehmer sich am Ende wegen eines Schuhs gegenseitig umgebracht haben. Dabei waren sie nur zehn Kilometer von einer Stadt entfernt. Der Hunger hat ihnen einfach den Verstand geraubt.

Lothar sah mir schweigend zu und legte dann die Zeitung beiseite: »Was hältst du eigentlich von Tätowierungen?« fragte er.

Ich war schon an seine Fragen gewöhnt. Er war ein ziemlich sprunghafter Geist. Als er vor ein paar Tagen vom Klo zurückkehrte, wollte er wissen, warum Elektronen nie ihre Bahn verlassen.

»Ich glaube, Tätowierungen haben eine große Zukunft vor sich«, sagte er. »Und zwar als neues Kommunikationsmedium. Stell dir vor, du hast auf deinem Handrücken ein Lenkrad tätowiert. Alle wissen gleich, daß du an einem Auto interessiert bist. Ehe du dich versiehst, bist du schon von Autoverkäufern umgeben, die dir ein erstklassiges Auto verkaufen möchten.«

»Aber du hast nicht einmal einen Führerschein.«

»Das war hypothetisch. Aber stell dir vor, du triffst jemanden, der auf dem Arm ›Sein oder nicht sein‹ stehen hat. Und zwar auf dem linken Arm. Verstehst du? Linker Arm – linke Seite – Herz. Und du hast auch auf deinem linken Arm ›Sein oder nicht sein‹ stehen. Das ist so, als würden sich Romeo und Julia unter Millionen finden. Ihr erspart euch alles Süßholzgeraspel und könnt gleich zum Wesentlichen übergehen. Ich sollte mir das patentieren lassen.«

Er sah an die Küchendecke, wo ein paar Fliegen herumsurrten. Vermutlich dachte er darüber nach, bei welchem Patentamt er seine Idee anmelden sollte.

Dann sah er mich wieder nachdenklich an und sagte: »Weißt du, eigentlich sind Bolek und ich ziemlich enttäuscht von dir.«

»Tut mir leid, das gestern mit der Rafla. Wird nicht wieder vorkommen.«

»Scheiß auf die Rafla! Ich meine deinen Geburtstag.«

»Na großartig. Ich bin also von zwei Schnüfflern umgeben.«

»Im Gegenteil. Bolek hat heute nur zufällig deinen Paß mit seinem vertauscht, und so kam es heraus. Warum hast du nichts gesagt? Schließlich sind wir eine große internationale Familie.«

»Eher ein internationaler Spionagering.«

»Na, jetzt ist es sowieso zu spät. Aber ich gebe dir einen guten Rat fürs nächste Mal. Geburtstage sind wie eine Waffe, die du nur einmal im Jahr in die Hand gedrückt bekommst. Nutz sie! Terrorisier damit die ganze Umgebung. Hol die meisten Geschenke heraus, verstehst du? So macht man das bei uns im Westen.«

Ich aß das zweite Ei auf und trug das Geschirr zur Spüle. Dann kam ich zurück an den Tisch und nippte an meinem Tee. Lothar sah mich schweigend an. In diesem Moment klopfte jemand an die Tür. Wir wurden regelmäßig von Zeugen Jehovas und Handyvertretern heimgesucht. Wir schwiegen und warteten geduldig, bis es wieder vorbei sein würde. Auf diese Weise hatten wir schon viele Besuche abgewehrt.

Aber diesmal war das Klopfen ziemlich hartnäckig. Schließlich sah Lothar auf die Uhr und flüsterte: »Es muß die Plachuta sein. Sie hat sicher wieder etwas an der Fußmatte auszusetzen. Ich seh mal nach, bevor sie die Polizei ruft.«

Er ging zur Tür und öffnete sie einen Spaltbreit. Es war nicht Frau Plachuta. Aber es war bestimmt eine

Frau. Obwohl Lothar mir die Sicht verstellte, konnte ich ihre Schuhe sehen. Sie waren schwarz und hatten ziemlich hohe Absätze.

»Entschuldigen Sie. Ist das die Türnummer dreiundzwanzig?« fragte sie.

»Wenn dreiundzwanzig draufsteht, dann ist sie das«, antwortete Lothar.

Als ich diese Stimme hörte, lief es mir kalt den Rücken herunter. Dieselbe Stimme hatte ich das letztemal vor sechs Wochen im Dream-Travel-Bus gehört.

»Ist Bolek da?« fragte sie.

Sie war also die Bekannte, von der Bolek erzählt hatte.

»Er ist in der Messe, aber Sie können sehr gerne hier auf ihn warten.«

Sie zögerte: »Na schön, warum eigentlich nicht?«

Sie trat ein. Es war meine Sitznachbarin aus dem Dream-Travel-Bus. Aber sie hatte sich so verändert, daß ich sie im ersten Moment nicht wiederkannt habe. Sie trug ein kurzes Kleid und war braungebrannt, als wäre sie eben aus der Karibik gekommen. Außerdem war sie geschminkt wie eine Schauspielerin aus diesen brasilianischen Telenovelas. Sie erkannte mich auch nicht gleich im ersten Moment. Aber dann schossen ihre Augenbrauen nach oben, und sie lächelte kokett.

»Na so was! Der Zöllnermagnet. Was sucht denn der hier?«

»Und was sucht die Frau mit der Nagelfeile hier?« gab ich zurück.

»Ich heiße Ala, wenn es recht ist.«

»Und ich Waldemar.« Ich streckte ihr die Hand zur Begrüßung entgegen.

»Ich bin noch nicht so senil, daß ich es schon vergessen hätte«, sagte sie und erwiderte meinen Händedruck. »Ich erinnere mich sogar noch an dieses Hemd. Wechselst du es eigentlich nie?«

Ich lief rot an. Gott sei Dank schaltete sich Lothar ein.

»Augenblick mal, Waldi!« rief er und stellte sich zwischen uns. »Du kennst diese reizende Frau?«

»Flüchtig.«

»Dann stell mich vor. Worauf wartest du denn noch?«

»Das ist ein Freund von mir«, sagte ich, »und das ist Ala, eine Bekannte aus dem Bus, mit dem ich hergekommen bin.«

Lothar reichte ihr die Hand. »Guten Tag, Lothar. Eingefleischter Darwinist aus Deutschland.«

»Ala. Ein Steinbock aus Polen.«

Sie tauschten einen Händedruck aus, und er sandte ihr das Lächeln eines schwerverwundeten Stierkämpfers. Sie revanchierte sich mit einem weiteren koketten Lächeln und setzte sich an den Tisch. Sie schlug die Beine übereinander, wobei es sich herausstellte, daß ihr Kleid einen sehr mutigen Schlitz hatte.

Sie sah uns beide an und sagte: »Bolek hat mal erwähnt, daß er mit zwei Leuten zusammenwohnt. Aber es wäre mir nie eingefallen, daß Waldi Waldemar heißt. Sonst wäre ich bestimmt schon früher gekommen.«

»Er hat es absichtlich verschwiegen, wie ich ihn kenne«, sagte Lothar und schlug mir auf die Schulter, wobei er mir fast das Schlüsselbein zertrümmerte. »Aber jetzt haben wir Gelegenheit, es nachzuholen, was? Was möchten Sie trinken, Ala? Tee oder Kaffee?«

»Habt ihr nichts Stärkeres? Rum zum Beispiel?«

»Bei Julius Meinl gibt es alles«, erwiderte Lothar stolz und begab sich sofort auf Rumsuche in den unteren Küchenregalen. Er ging dabei so energisch vor, als suchte er eine entschärfte Granate.

Ala sah mich an: »Ich habe das Gefühl, daß wir uns erst vor einer Stunde gesehen haben, und du?«

»Mir geht's genauso. Dabei ist es schon über sechs Wochen her.«

»Wirklich? Und was hast du in diesen Wochen so getrieben?«

»Alles mögliche. Ich habe Arbeit gesucht. Ein Schwimmbad ausgehoben, das keines war, und noch hundert andere Dinge gemacht, wegen denen ich jetzt um Jahre gealtert bin.«

»Hoffentlich kann man das von mir nicht sagen.« Sie zeigte mir ihr Profil und zwinkerte mir zu.

Ich hatte keine Zeit, über dieses Zwinkern nachzudenken, weil Lothar wieder aufgetaucht war. Er stellte die Rumflasche und ein paar Gläschen zwischen uns und sagte: »Ich habe sicherheitshalber auch den Tee aufgesetzt.« Er sah zu mir: »Ich schätze, wir werden Bolek verprügeln, weil er uns so eine Schönheit vorenthalten hat, was, Waldi?«

Ich war der einzige, der bei diesem Kompliment rot anlief.

Ala goß sich ein Gläschen Rum ein. Sie trank es in einem Zug aus und sah Lothar neugierig an: »Ich habe noch nie einen Deutschen gesehen, der so gut Polnisch spricht. Wozu haben Sie das gelernt?«

»Bolek ist nicht gerade eine Leuchte, was Fremdsprachen angeht. Außerdem bin ich vernarrt in eure Landsleute.«

»Wirklich?« staunte sie. »Dabei sagt man doch, daß meine Landsleute lauter Nutten und Diebe sind.«

»So ein Schwachsinn! Wer sagt denn so was?«

»Wahrscheinlich derselbe, der diesen Witz erfunden hat: Wissen Sie, warum ein polnischer Autodieb fünf Minuten braucht, um einen Mercedes zu klauen? Weil er noch vorher vier Minuten in der Nase bohren muß.«

»Na und? Wir brauchen drei, um einen zu produzieren. Das ist schlimmer als ein Witz, wenn Sie mich fragen.«

Lothar sah auf Alas braungebrannte Beine und sagte zu ihnen: »Ich meine nur damit, daß uns Deutschen ein bißchen Chaos ganz guttun könnte.«

»Darf ich mal unterbrechen?« fragte ich. »Lothar, dein neuer Teekocher explodiert gleich.«

Lothar sprang auf und schaltete den Teekocher aus. Er bewegte sich mit Lichtgeschwindigkeit. Nicht nur, weil er sich um den Kocher Sorgen machte, sondern auch, weil er möglichst schnell wieder Alas Beine anstarren wollte. Während der letzten Minuten war ihr Kleid bis zu den Oberschenkeln hochgerutscht. Sie schlug dauernd ihre Beine übereinander, als würde sie auf Nadeln sitzen. So kannte ich sie gar nicht. Mir wurde klar, daß ich sie eigentlich überhaupt nicht kannte.

Lothar stellte den fertigen Tee auf den Tisch. Aber Ala würdigte ihn keines Blickes. Sie goß sich ein neues

Rumgläschen ein und trank es aus. Sie gab wirklich ganz schön Gas. Es war erst Vormittag.

Sie stellte das Gläschen ab und sah auf die Uhr. »Wann kommt eigentlich Bolek?« fragte sie. »Ich werde schon langsam ungeduldig.«

»Die Messe ist normalerweise um elf aus. Aber er geht sicher noch beichten«, antwortete Lothar.

Ala schüttelte den Kopf. »Er ist gar nicht so katholisch, wie Sie vielleicht glauben. Hin und wieder kann man mit ihm sogar etwas Bizarres anstellen. Dafür ist nicht jeder Mann zu haben.«

»Bizarr? Was meinen Sie damit?«

»Das, was ich sage. Bizarr. Es überkommt einen plötzlich, und man tut es. Ganz einfach.«

Lothar hüstelte.

»Und Sie könnten das nicht zufällig noch präziser formulieren?«

»Könnte ich schon. Aber nur unter einer Bedingung.«

»Und die wäre?«

»Wenn Sie so nett wären und für einen Sprung runterliefen, um mir Zigaretten zu holen.« Sie zeigte auf ihre Tasche. »Ich sehe gerade, ich habe keine mehr. Und ohne Zigaretten unterhalte ich mich nur ungern über dieses Thema.«

Lothar sah mich an: »Waldemar, könntest du auf einen Sprung hinunterlaufen?«

»Nein«, sagte Ala. »Ich möchte, daß Sie es tun.«

»Wieso ich?«

Sie beugte sich plötzlich zu ihm und streichelte seine Wange. »Weil Sie als erster wissen wollten, was bizarr bedeutet, mein Wikinger.«

Lothar störte es nicht, daß sie ihn mit einem Schweden verwechselte. Trotzdem startete er noch einen halbherzigen Versuch. »Aber Waldi ist ein ganz gefährlicher Bursche. Ich weiß nicht, ob ich Sie mit ihm allein lassen kann.«

»Tja. Dann muß ich selber gehen. Wer weiß, ob ich dann wiederkomme.«

Das wirkte augenblicklich. Lothar stand auf und nahm seine Jacke vom Stuhl. Dann sandte er mir einen Blick und drohte mit dem Finger: »Sorg dafür, daß unser Gast nicht vergißt, worüber wir gerade gesprochen haben. Ich bin gleich wieder da.« Er ging zur Tür und machte sie leise hinter sich zu.

Ala sah mich an und atmete durch: »Endlich. Ich dachte, er würde nie mehr gehen.«

Sie holte eine Zigarette aus ihrer Tasche. Sie hatte ein ganzes Päckchen dabei. »Hast du Feuer?«

Ich starrte sie an.

»Warum haben Sie Lothar angelogen?«

Statt zu antworten, holte sie dasselbe Feuerzeug heraus wie im Bus und zündete sich die Zigarette an. Sie blies den Rauch in meine Richtung. »Ich habe nicht nur ihn, sondern auch dich angelogen. Ich bin in Wirklichkeit hierhergekommen, um dich zu sehen. Als mir Bolek von seinem neuen Untermieter erzählt hat, wußte ich gleich, daß du es bist.«

»Sie wollten mich sehen? Wozu denn?«

»Soll ich es direkt oder indirekt sagen?«

»Lieber indirekt.«

Sie streckte ihre Hand aus und berührte meinen Hemdkragen. Ihre Finger bewegten sich einen Moment lang darauf, als würde sie Klavier spielen.

»Ich denke immer noch darüber nach, was du zu mir im Bus gesagt hast. Du wolltest damals ein Rendezvous haben. Und jetzt habe ich es so eingefädelt, damit wir allein sind. Und zwar«, sie sah auf die Uhr und rechnete vor, »ist der nächste Automat etwa zwölf Minuten entfernt. Macht insgesamt volle vierundzwanzig Minuten. Zeit genug, wenn du mich fragst.«

»Sie meinen doch nicht etwa«, ich machte eine unbestimmte Handbewegung, »um etwas Bizarres anzustellen?«

»Ich halte meinen Mund. Und ich will dich schon gar nicht zu etwas überreden. Noch dazu jemanden, der wahrscheinlich noch Jungfrau ist.«

»Wie kommen Sie darauf, daß ich Jungfrau bin?«

»Deine Ohren verraten mir das. Sie glühen wie Laternen. Aber du brauchst dich dafür nicht zu schämen. Es ist sehr schön, Jungfrau zu sein. Die heimlichen Ausflüge auf die Toilette. Die Träume von Frauen, bei denen man kein Gesicht, sondern immer nur Riesenbrüste sieht. Ich verstehe gut, daß man das alles nicht aufgeben will.«

»Ich bin neugierig, was Ihr Freund sagt, wenn er das hören würde. Dieser King Kong mit der behaarten Brust.«

»Keine Ahnung. Ich habe ihn schon lange nicht mehr gesehen.«

»Interessant. Denn das sah mir nach einer Hochzeit in Weiß und vier Kindern aus.«

Sie drückte ihre Zigarette aus und stand auf. »Ich sehe, du bist eine von diesen Plaudertaschen. Macht nichts. Red nur weiter, und ich mach mich inzwischen ein bißchen frisch.« Sie drehte sich um und begann sich das Kleid aufzuknöpfen. Das meinte sie wohl mit frisch machen. Das Kleid hatte mindestens fünfzig Knöpfe, aber sie kam damit schnell voran.

»Ich habe dieses Kleid in einer der Boutiquen gekauft, an denen wir vorbeigefahren sind«, sagte sie, »ich bin ganz vernarrt darin. Leider kriegt es ziemlich schnell Falten.« Sie zog es sich vorsichtig aus und legte es auf den Stuhl. Dann kam sie zu mir und schlug sich mit der Faust gegen den Oberschenkel: »Ich habe so kräftige Beine, daß ich damit einen Mann zerquetschen könnte. Fühl mal.«

Sie log nicht. Er war hart wie Marmor. Sie streifte den BH ab und legte ihn auf den Tisch neben der Rumflasche. Dann zog sie sich das Unterhöschen aus und setzte sich auf meine Knie. »Weißt du, ich bin auch eine Plaudertasche«, informierte sie mich. »Schon als Kind konnte ich meinen Mund nicht halten. Meine Mutter wollte deswegen mit mir zum Arzt.«

Sie begann meine Hose aufzuknöpfen. Zum ersten Mal im Leben wurde mir klar, daß meine Hose vier Knöpfe hat. Und ich dachte immer, es wären drei. Ihre rechte Hand verirrte sich dabei an eine bestimmte Stelle. »Ach herrje«, lächelte sie. »Da brauen sich ein paar Regenwolken zusammen.«

Sie erhob sich ein wenig und zog meine Hose mit einer einzigen Bewegung aus. Sie war wirklich ein Profi im Ausziehen von Frauen und Männern. Dann hielt sie sich an meinem Nacken fest, sah kurz nachdenklich über meine Schulter und begann sich langsam rhythmisch hin und her zu bewegen. »Meine Mutter sagte auch, daß Männer Schweine sind, moralisch und hygienisch. Aber ich hatte nie etwas gegen

Schweine. Deshalb komme ich auch gut mit Männern aus. Ich sage zu ihnen, wir können ab und zu mal bumsen. Schließlich haben Frauen das auch gern. Aber ich bestimme den Stuhl, auf dem wir es machen. Verstehst du?«

Ihr Rhythmus gewann langsam an Intensität.

»Alles nur eine Frage von Prinzipien. Alles Politik. Wie im Parlament.«

Sie beugte sich nach vorn und küßte mich auf den Mund. Ihr Atem roch nach Rum. Dann fuhr sie mit der Zunge über meine Wange hinauf bis zu meinem Auge und warf den Kopf in den Nacken. »Ist das eine schmutzige Decke!« rief sie aus und legte noch einen Zahn drauf. »Dieses Haus braucht eine Putzfrau, und Lothar gebraucht seine Hände nur, um zu klauen. Dieser kleine Dieb ist so faul.«

»Wie können Sie das wissen, wenn Sie ihn heute zum ersten Mal im Leben gesehen haben?« keuchte ich.

Sie gab ein leises Stöhnen von sich. »Bißchen rechts, ja, genau, noch ein bißchen.« Dann fuhr sie wieder fort: »Weißt du, wir haben dich alle ein bißchen geleimt. Du bist jetzt nicht böse, oder? Aber ich kenne die Jungs schon länger. Die haben gesagt, ich soll heute vorbeischauen.«

Plötzlich hörte ich auf, irgend etwas zu hören. Die Regenwolken hatten sich endgültig zusammengebraut. Als Ala das spürte, begann sie sich nach allen Seiten zu winden und zu stöhnen: »Ja! Nein! Ja! Nein!« Dann schlug sie mir zweimal mit der offenen Hand auf den Kopf. Als ich die Augen aufmachte, starrte sie mir neugierig ins Gesicht. Mein Atem ging wie nach einem Hundertmeterlauf. Sie streichelte meine rechte Wange: »Und dann sagten sie, ich solle dir unbedingt meinen Rücken zeigen. Sie haben dort nämlich etwas für dich geschrieben. Liest du es bitte laut vor, damit ich es auch höre? Ich sterbe schon vor Neugier.«

Sie küßte mich auf die Stirn, aber das war nur noch pro forma, und stand dann schnell auf. Sie drehte sich um und streckte mir ihren Hintern hin. Ein paar Zentimeter über ihrem Becken standen zwei Zeilen, die mit einem Kugelschreiber hingekritzelt waren. Ich erkannte die Handschrift von Bolek.

Ich beugte mich vor, weil mir immer noch alles vor den Augen sprang, und las laut vor: »Laß dir nur Zeit, Casanova. Schließlich hast du heute Geburtstag. Bolek und Lothar.«

19

Nach diesem Geburtstagsgeschenk mußte ich mir selber ein Geschenk machen. Ich beschloß, irgendwohin auszugehen, wo ich Lothar und Bolek eine Weile nicht sehen müßte. Seit Alas Besuch litten sie nämlich an merkwürdigen Anfällen von Humor. Ich konnte nichts tun, ohne daß nicht gleich in ihren Gesichtern ein hämisches Grinsen auftauchte. Wenn ich morgens in die Küche trat, bekam Lothar über seinen Lachssandwiches eine Art Schluckauf. Ging ich zurück ins Wohnzimmer, grinste Bolek den Fernseher an, obwohl gerade ein Horrorfilm lief. Als ich schließlich sagte, daß eine Geburtstagstorte mit Kerzen es auch getan hätte, explodierte die ganze Wohnung vor Lachen.

Also versteckte ich mich für ein paar Stunden an einem Ort, wo mich die beiden garantiert nicht finden würden. Ich ging in ein Museum.

Ich mag schon allein deshalb Museen, weil sie auf der ganzen Welt gleich aussehen. Ob in Brasilien oder Rußland, ein Museum fängt immer bei der Steinzeit an und endet beim Zweiten Weltkrieg. Im Wiener Museum war es genauso. Aber man hatte dort für die Steinzeitepoche mehr übrig als anderswo. Es gab dort einen eigenen Saal, in dem eine echte Steinzeithöhle nachgebildet war. Ein Steinzeitpärchen in Fellen saß um eine Feuerstelle, aus der Plastikflammen schlugen. Man sah auf den ersten Blick, daß sie eher die westliche und nicht die östliche Zivilisation gründen würden. Ihre Felle waren sauberer, und ihre Haare waren so dicht, als verwendeten sie täglich Antischuppenshampoos. Wenn man den Steinzeitmann rasieren und in einen Anzug stecken würde, könnte er unbemerkt als Tourist aus dem Museum hinausmarschieren, und die Wärter würden noch »auf Wiedersehen, der Herr« hinter ihm herrufen. Daß ich dort aber über eine Stunde blieb und mich daran nicht satt sehen konnte, lag am Steinzeitweibchen. Sie kniete am Lagerfeuer und starrte mit ihren Glasaugen in die künstlichen Flammen. Sie sah aus, als wäre sie in einen zehntausend Jahre alten Gedanken versunken, den sie nicht aussprechen konnte, weil die Steinzeitmenschen damals noch keinen Kehlkopf hatten.

Obwohl ich wußte, daß ich Ala wahrscheinlich nicht wiedersehen würde, stellte ich mir vor, wie es wohl wäre, wenn sie und ich dieses Steinzeitehepaar wären. Ich wäre endlich so gut gebaut wie ihr ehemaliger Freund mit der behaarten Brust. Jeden zweiten Tag würde ich von der Jagd ein Reh nach Hause bringen, und sie würde es über dem Feuer braten. Jede Höhle wäre uns gut genug. Ob Wien oder Warschau oder meinetwegen New York. Wichtig wäre, daß wir ein gutes Jagdgebiet hatten und ein paar friedliche Neandertaler als Nachbarn. Da wir als Steinzeitmenschen keinen Kehlkopf hatten, würden wir uns mit Zeichensprache verständigen oder einfach nur einander ansehen. Wir würden regelmäßig Steinzeitsex haben, wobei sie natürlich den Stein aussuchen dürfte, auf dem wir es machen würden. Wir würden spazierengehen und anderen Ehepaaren Besuche abstatten. Unser einziges wirkliches Problem wäre der Zeitmangel. Ein Steinzeitmensch wurde selten älter als dreißig. Wir würden schon mit fünfzehn eine Familie gründen und spätestens mit zwanzig Nachwuchs bekommen müssen, damit unsere Kinder alles Wichtige lernten, was man als Steinzeitmensch wissen sollte. Ich würde es mir wirklich nicht verzeihen, wenn mein einziger Nachkomme vom erstbesten Mammut zu Tode getrampelt würde, bloß weil ich zu faul war, ihm zu erklären, daß man Mammuten aus dem Wege gehen sollte. Dennoch hätten wir sicher Zeit genug gefunden, um abends vor die Höhle zu treten und zu den Sternen zu sehen. In diesem Moment würden wir uns anschweigen, denn sogar in der Steinzeit hat man bestimmt für die wirklich wichtigen Dinge keine Worte verschwendet. Auch dann nicht, wenn man einen Kehlkopf gehabt hätte.

Danach malte ich mir noch weitere Szenen aus, die ich als Steinzeitmann erleben würde. In dieser Stunde, die ich dort stand, hatte ich zwei Mammute erlegt, wurde selbst dreimal von einem Speer tödlich durchbohrt und tötete einmal einen anderen Mann mit bloßen Händen. Zum Schluß hätte ich durch eine Verkettung ungünstiger Umstände um ein Haar Ala noch mit einer anderen Steinzeitfrau betrogen. Allerdings kam im letzten Augenblick etwas dazwischen. Ich kehrte reumütig nach Hause zurück und war zum erstenmal heilfroh, daß meine Ehefrau keinen Kehlkopf hatte.

Danach sah ich mich in anderen Epochen um. Aber da es mir nirgendwo mehr so gefiel wie in der Steinzeit, übersprang ich das meiste, um möglichst schnell in das zwanzigste Jahrhundert zu kommen. Das einzige, was ich mir unterwegs genauer ansah, waren die Museumswärter. Die Leute halten Museumswärter gewöhnlich für verbitterte Pensionisten, weil sie den ganzen Tag einen Stein bewachen müssen, auf den vor zwanzigtausend Jahren ein Neandertaler gepinkelt hat. Da aber mein Onkel selbst einer ist, weiß ich, daß Museumswärter richtige Gegenwartsfanatiker sind. Wenn es nach ihnen ginge, gäbe es gar keine Museen. Sie halten alles, was älter als ein Mensch ist, für unnötigen Kram. In dem Museum, in dem mein Onkel arbeitet, gab es mal einen Museumswärter, der regelmäßig sein Frühstück in einem Mumiensarkophag versteckte. Eines Tages öffnete ein Archäologieprofessor den Sarkophag vor seinen Studenten und erblickte zwischen den bandagierten Gebeinen einen Apfel und zwei Semmeln in Alufolie. Man mußte ihn eine Viertelstunde lang wiederbeleben, weil er vor Freude über eine so gut erhaltene Grabbeigabe in Ohnmacht gefallen war.

Die Wiener Museumswärter unterschieden sich in nichts von unseren. Sie hatten zwar andere Uniformen an, aber bereits in der Römerepoche ertappte ich einen dabei, wie er sich hinter einem ein paar tausend Jahre alten Obelisken versteckte und intensiv in der Nase bohrte.

Bevor ich das Museum verlassen wollte, blieb ich noch vor einer langen Glasvitrine stehen und vertiefte mich in die Gesichter jener großen Männer und Frauen, die unser Jahrhundert zu dem gemacht haben, was es heute ist. Ich wurde schon immer von Gesichtern toter Menschen angezogen. Als ich klein war, blätterte ich häufig in Lexika und betrachtete stundenlang die Fotos berühmter Leute. Am meisten gefielen mir die Gesichter von Hitler, Stalin oder Goebbels. Ihre Augen blickten mit so viel Zuversicht und Hoffnung ins Objektiv, daß man sich dem nicht entziehen konnte. Ich wollte auf keinen Fall das Gesicht eines Denkers oder Wissenschaftlers haben. Madame Curie, Kant und die anderen sahen nämlich drein, als hätten sie gerade etwas Schlechtes gegessen. Oder als hätten sie dauernd mit Kranken zu tun.

Als ich die ganze Vitrine schon fast durchhatte, passierte etwas Unerwartetes. In der Vitrinenscheibe spiegelte sich einen Moment lang ein Gesicht, das ich kannte. Jemand war gerade hinter meinem Rücken vorbeigegangen. Ich drehte mich um und sah, wie er im nächsten Saal verschwand. Dieser Jemand war Irina. Offenbar kam ich in diese berühmte Periode, wo das Schicksal einem die Frauen buchstäblich vor die Füße legt. So würde es wenigstens Bernstein nennen. Ich versicherte mich, ob sie allein war, und folgte ihr. Sie war offenbar tief in Gedanken versunken, denn sie bemerkte mich nicht. Sie marschierte rückwärts in den Zeitepochen. Ihr Ziel lag offenbar irgendwo am Anfang des Museums. Ich folgte ihr unauffällig durch fünf Säle hindurch, bis sie plötzlich im Barock vor einem Bild stehenblieb. Ich versteckte mich hinter einer häßlichen Vase. Aber als ich wieder hervorsah, war Irina verschwunden. Ich ging zu dem Bild und drehte mich im Kreis. Sie hatte sich einfach in Luft aufgelöst.

Plötzlich tippte mir jemand auf den Rücken und sagte: »Als Detektiv würden Sie keine Karriere machen, Schwimmbad.«

Ich drehte mich um. Irina stand so nah hinter mir, daß sie mich fast berührte. Sie muß wohl über dem Boden geschwebt sein.

»Warum sind Sie mir gefolgt?« fragte sie.

»Ich bin Ihnen nicht gefolgt. Ich bin Ihnen höchstens nachgegangen.«

»Meinetwegen. Warum sind Sie mir nachgegangen?«

»Weil ich Sie ansprechen wollte. Aber Sie sind schnell wie ein Rennwagen. Ich hätte Sie gerufen, wenn es nicht ein Museum wäre.«

Sie betrachtete mich mißtrauisch. »Was haben Sie eigentlich in einem Museum verloren? Hat Sie Bernstein geschickt, um mir nachzuspionieren?«

»Nein. Auch ich habe ein Privatleben. Und das heißt Geschichte. Sogar mein Vater hat mal gesagt, daß meine Bewunderung für alte Dinge die einzige erwachsene Eigenschaft an mir ist.«

»Ihr Vater ist sicher ein netter Mann. Aber er muß wohl betrunken gewesen sein, als er das sagte. Ich kenne nur zwei Eigenschaften an Ihnen: Legospielen und Nachspionieren. Und das sieht nicht nach erwachsen aus.«

Ich beschloß, das Thema zu wechseln, sonst hätte sie noch eine Stunde darauf herumgeritten. In solchen

Situationen ist Angriff die beste Verteidigung. Ich hob die Hände wie jemand, der sich schuldig bekennt, und sagte: »Sie haben mich entlarvt. Ich bin Ihnen gefolgt. Ich habe Ihnen regelrecht nachspioniert. Aber nur, weil ich auf meine natürlichen Instinkte gehört habe.«

Sie legte die Hand ans Ohr. »Wie bitte? Worauf haben Sie gehört?«

»Auf meine Instinkte. Auf mein Herz. Und das sagte mir, daß Sie sehr schön sind.«

»Was?«

»Ich weiß, daß ich das nicht sagen sollte. Frauen wollen heutzutage stark, intelligent und selbstbewußt sein, aber nicht schön. Aber ich finde Sie nun mal schön. Schön und nochmals schön.«

»Fühlen Sie sich gut? Brauchen Sie ein Aspirin?«

»Ich habe mich nie besser gefühlt.«

Sie machte ein empörtes Gesicht. »Was glauben Sie, was wohl Bernstein dazu sagt, wenn er das hört? Er ist so eifersüchtig, daß er Sie sogar entlassen könnte.«

»Wie kann er mich nur deswegen entlassen, weil Sie schön sind! Sie wollen es ihm wirklich erzählen?«

»So einen Unsinn würde ich nicht einmal meiner Mutter erzählen. Außerdem haben Sie so viel Ahnung von weiblicher Schönheit wie ich von der Schönheit des Fußballspiels.«

»Dann klären Sie mich bitte auf. Ich bin sehr lernwillig.«

Sie zögerte: »Aber nur wenn Sie versprechen, mir nicht weiter nachzuspionieren.«

»Versprochen.«

»Na schön.« Sie sah sich im Saal um. »Kommen Sie. Sie kriegen jetzt einen Gratisschnellkurs in Sachen

Schönheit.« Sie zog mich zu einem Bild, das so groß wie eine halbe Kinoleinwand war. »Sehen Sie sich in Ruhe dieses Bild an. Lassen Sie sich nur Zeit damit.«

Das Bild zeigte unzählige tanzende nackte Frauen. Das einzige, was man klar erkennen konnte, war, daß sie fett und weiß wie Mehl waren und Cellulitis hatten. Ansonsten herrschte dort das reinste Chaos. Es war wirklich keins von den Bildern, die ich mir zu Hause aufhängen würde.

Irina schien meine Gedanken zu lesen: »Diese Frauen sehen für Sie bestimmt ziemlich häßlich aus. Aber ein Modell von heute hätte damals auch Furore gemacht: als häßlichste Frau des siebzehnten Jahrhunderts. Das Geheimnis liegt darin, daß die Frauen ihren Körper dem damaligen Schönheitsideal anpaßten. Und was sagt uns das?«

»Daß Frauen keinen Charakter haben?«

»Sparen Sie sich Ihren Humor für Ihre zwölfjährigen Kunden. Das heißt, daß nur die Frau und niemand sonst bestimmt, was Schönheit ist. Sie drücken es durch ihren Körper aus. Und dadurch haben sie ein ganz besonderes Verhältnis dazu. Sie lieben ihren Körper und pflegen ihn wie ihr eigenes Kind. Was auch immer geschieht, er wird ihnen niemals gleichgültig werden. Sogar Greisinnen beobachten sich oft nackt im Spiegel und streicheln sich die Brust. Frauen geben ihren Körper nie auf, weil er für sie immer schön bleibt. Der Mann hingegen behandelt den eigenen Körper wie einen Wagen. Er sitzt darin, drückt aufs Gaspedal und schaut, was der Tacho macht. Wenn sein Körper eines Tages nichts mehr hergibt, gibt er auf und geht unter. Reichlich primitiv, nicht wahr?«

»Sind Sie nicht ein bißchen zu männerfeindlich?«

»Höchstens ein bißchen.« Sie tätschelte mir die Schulter. »Aber Ihnen droht keine Gefahr. Sie sind noch zu jung, um ein Mann zu sein.«

»Und ich finde Sie trotzdem schön. Was sagen Sie jetzt?«

»Gar nichts.« Sie sah auf die Uhr. »Bevor ich gehe, möchte ich Sie aber etwas fragen. Es sollte allerdings unter uns bleiben.«

»Selbstverständlich.«

»Wie fühlt sich für den Mann der Körper einer Frau an?«

Ich sah an die Decke und zählte auf: »Weich, straff, duftend. An manchen Stellen wie Marzipan. Wieso interessiert Sie das?«

»Wenn ich die Männer wirklich um etwas beneide, dann, daß sie ohne Einschränkungen den Körper einer Frau anfassen können.«

Bei mir läuteten die Alarmglocken. Wollte sie etwa damit zu verstehen geben, daß sie es gerne mit einer Frau tun würde?

Irina schüttelte lächelnd den Kopf: »Ziehen Sie keine voreiligen Schlüsse. Sie haben schon einmal gezeigt, was Sie als Detektiv taugen. Und jetzt muß ich weiter in den Steinzeitsaal. Sie waren schon dort?«

»Über eine Stunde. Das ist meine Lieblingsepoche.«

»Und dennoch haben Sie dort wahrscheinlich das Wichtigste übersehen. Denn sonst würden Sie mich nicht diesen Unsinn fragen. In der Vitrine am Fenster ist nämlich ein kleiner rostiger Draht ausgestellt. Haben Sie den bemerkt?«

»Ich glaube nicht.«

»Diesen rostigen Draht hat sich ein Mädchen vor hunderttausend Jahren ins Haar gesteckt. Das ist die älteste Haarspange Europas. Wenn Sie das gesehen hätten, würden Sie jetzt vielleicht keine Nachhilfe in weiblicher Schönheit brauchen. Denken Sie darüber nach, Legomann. Auf Wiedersehen.«

Sie drehte sich um und marschierte über das Parkett in Richtung Steinzeitepoche. Als sie an einem Fenster vorbeiging, verpaßten ihr die Strahlen der untergehenden Sonne einen meterlangen Schatten. Dieser Schatten strich nervös über die Museumswände und Glasvitrinen, bis er zusammen mit ihr um die Ecke verschwand. Dann hörte ich nur noch ihre Schritte, die immer leiser wurden.

Plötzlich fiel mir ein, wo ich sie gesehen hatte. Eigentlich wußte ich es schon in dem Moment, als sie mich vor dieses Bild geführt hatte: Sie war der Herbstgrazie im Belvedere-Springbrunnen wie aus dem Gesicht geschnitten. Ich würde einiges dafür geben, ihr Gesicht zu sehen, wenn sie erfahren würde, daß ihre weibliche Schönheit eine dreihundert Jahre alte Doppelgängerin aus Marmor hat.

Eigentlich sprach nichts dagegen, es ihr mal zu zeigen. Von diesem Gedanken eingenommen, schlenderte ich langsam zurück ins zwanzigste Jahrhundert. Nirgendwo ließen sich besser Pläne schmieden als unter dem feurigen Blick von Hitler und Stalin.

20

An einem warmen Spätsommerabend ging ich in eine Telephonzelle, um endlich meine Eltern anzurufen. Ich warf ein paar Zehner in den Automaten, der sie in ein paar mickrige Minuten verwandelte. Eine Auslandsminute ist in Wien so teuer wie eine Trüffel. Ich tippte die Nummer ein. Beim ersten Mal war besetzt, beim zweiten Mal kam ich durch. Ich hörte zuerst Fernsehgeräusche, weil sich mein Vater um die Zeit immer einen Naturfilm ansieht. Er war in unserem Häuserblock *der* Experte für nordamerikanische Biber.

Dann meldete sich eine Stimme: »Hallo?« Es war meine Mutter.

Ich umklammerte fest den Hörer. »Mama? Ich bin's.«

»Um Himmels willen! Stell sofort den Kasten leiser. Waldemar ist dran!« rief sie meinem Vater zu.

Der Fernseher verstummte augenblicklich.

»Waldemar, endlich! Warum rufst du erst jetzt an? Warum läßt du uns so lange warten?«

»Es tut mir leid. Es gab ein paar sehr wichtige Dinge, die ich zu erledigen hatte.«

»Was gibt es Wichtigeres, als die eigenen Eltern anzurufen? Du bist wie vom Erdboden verschluckt. Was hast du dir dabei gedacht?«

»Und was ist mit all den Ansichtskarten, die ich geschickt habe? Was ist mit der mit dem Stephansdom drauf? Ist sie nicht angekommen?«

»Doch. Aber da stand nur drauf, daß du mit irgendeinem Orchester gereist bist und daß die österreichischen Zöllner so nett zu dir waren. So was kannst du deinem Großvater erzählen, Gott hab ihn selig. Warum klingt deine Stimme eigentlich so tief? Du bist doch gesund, oder?«

»Das ist die Leitung, Mama. Das Telephon.«

»Und du mogelst auch nicht, Häschen?«

»Mama, ich dachte, das mit dem Häschen hat sich an meinem achtzehnten Geburtstag erledigt.«

»Entschuldige. Und jetzt erzähl endlich, wie es dir geht.«

»Blendend. Ich bin inzwischen ein ganz schön großer Wienexperte geworden. Einmal in der Woche spaziere ich in die Innenstadt, um eine Melange zu trinken. Ich habe auch ein paar nette Leute kennengelernt. Darunter einen, der für die Oper arbeitet. Immer, wenn ich da vorbeigehe, plaudern wir ein bißchen über Musik. Ich habe auch die Jugendherberge gegen eine bessere Unterkunft gewechselt.«

»Da fällt mir ein Stein vom Herzen, Häschen. Und wie sind so die Österreicher? Man weiß ja nur, daß sie gut Ski fahren.«

»Unglaublich freundlich und sehr zuvorkommend. Die Wiener zum Beispiel lieben ihre Stadt mindestens so, wie Frau Mirska Herrn Mirski geliebt hat.«

»Ist der Vergleich nicht ein bißchen makaber? Schließlich hat sich Frau Mirska wegen ihres Mannes erhängt.«

»Den Wienern würde der Vergleich gefallen. Sie stehen auf makabre Sachen.«

»Das sind sehr merkwürdige Dinge, die du da erzählst. Aber andere Länder, andere Sitten, wie dein Vater sagt. Wie geht es dir finanziell? Hast du eine Arbeit gefunden?«

»Schon längst! Ich verdiene jetzt wirklich regelmäßig Geld.«

»Das hat Arbeit so an sich, Häschen. Ich nehme an, daß dir dabei unsere Landsleute unter die Arme gegriffen haben?«

»O ja. Stärker ging es nicht.«

»Wir sind eben noch eine Nation, die zusammenhält. So etwas wird immer seltener, leider. Es ist ein gutes Gefühl zu wissen, daß immer ein Landsmann zur Stelle ist, wenn man ihn braucht, nicht wahr?«

»Das hätte ich gar nicht besser ausdrücken können, Mama.«

»Und was ist das für eine Arbeit?«

»Ich verkaufe Spielzeug. Ich sitze hinter einem Ladentisch und betätige die Kasse. Aber es gibt auch noch anderes zu tun. Du würdest nicht glauben, wie phantastisch dieses westliche Spielzeug ist. Schon die Wasserpistolen sehen echter aus als die von unserer Polizei. Man könnte damit eine Bank überfallen, und niemand würde den Unterschied merken.«

»Worauf willst du eigentlich hinaus, Häschen?«

»Darauf, daß der Job sehr abwechslungsreich ist. Ich hätte es nicht besser erwischen können, denn die meisten Kunden sind Kinder. Sie kaufen zwar erstaunlich viele Pistolen, aber ich glaube, das liegt nur daran, daß es jetzt wieder überall so viel Krieg gibt.«

»Kinder sind am leichtesten beeinflußbar. Du hattest nie eine Pistole, als du klein warst. Darauf haben wir wirklich geachtet. Übrigens, Herr Kuka wird sich freuen, das zu hören. Er hat sich ziemliche Sorgen gemacht, daß du keine Arbeit in Wien finden wirst.«

»Wie bitte?! Ihr redet auf einmal mit Kuka?«

»Er ist gar nicht so schlimm, wie ich dachte. Er hat zwar ein miserables Gebiß, aber wenn er nicht zu oft lächelt, kann er sogar richtig charmant sein. Er hat mir auch gesagt, wie sehr er meinen Mut bewundert. Er hätte seinen Sohn nie so weit weggelassen.«

»Aber der hat ja gar keinen.«

»Er ist ein Mensch, der symbolisch denkt. Jedenfalls staunen wir immer wieder, wie sehr er dich mag. Er redet ständig über dich und läßt fragen, ob sein Glücksbringer seinen Zweck erfüllt hat. Verstehst du, was er damit meint?«

»Sehr gut sogar.«

»Höre ich da nicht ein bißchen Zynismus durch? Zynismus ist nicht immer unbedingt ein Zeichen von Reife. Augenblick, Waldemar, dein Vater reißt mir gerade den Hörer aus der Hand, weil er dich etwas Wichtiges fragen will. Ich mache jetzt lieber Schluß, sonst wird er noch handgreiflich. Wir warten schon auf dich, Häschen. Paß auf dich auf.«

Mein Vater war dran. Er flüsterte auf einmal: »Waldemar, was hast du bloß deiner Mutter erzählt? Sie ist in die Küche gegangen. Ich glaube, sie hat gerötete Augen.«

»Aber sie hat doch gerade eben gelacht.«

»Sie ist ziemlich empfindlich seit deiner Abreise. In den ersten zwei Wochen danach hat sie kein Auge zugekriegt. Doktor Kilinski hat ihr schließlich Valium verschrieben.«

»Was? Ihr habt diesen Stümper kommen lassen? Er wollte mir doch früher mal die Mandeln herausoperieren. Er glaubte, es seien Tumoren.«

»Na ja. Ganz so war es natürlich nicht.« Mein Vater nahm einen tiefen Atemzug, den man bis nach Wien hören konnte. »Sag mal, weißt du überhaupt, was heute für ein Tag ist?«

»Dienstag, der achtundzwanzigste, wieso?«

»Und? Klingelt bei dir nichts?«

»Nein. Eigentlich nicht.«

»Es ist nur noch eine Woche bis zu deiner Rückkehr.«

»Ach ja, tatsächlich?«

»Da höre ich aber keine Begeisterung heraus. Es klingt sogar, als hättest du es vergessen.«

»Ein bißchen habe ich es auch. Ich hatte einfach zuviel um die Ohren. Die Zeit vergeht hier sehr schnell.«

»Ich wünschte, ich könnte das auch sagen. Aber leider waren die letzten Wochen eine gewisse Erfahrung für uns. Deine Mutter und ich haben festgestellt, was für alte Knacker wir geworden sind.«

»So ein Unsinn! Wer hat euch das bloß eingeredet? Herr Kuka? Fragt ihn lieber, was Leute in eurem Alter im Westen alles anstellen. Ihr werdet euch wundern.«

»Das hört sich an, als hättest du interessante Erfahrungen gemacht.«

»Du ahnst nicht, was für Dinge mir passiert sind. Ich habe dir so viel zu erzählen. Es ist hier nämlich nicht alles Gold, was glänzt.«

»Ich freue mich schon drauf. Brauchst du noch etwas, Junge? Wir könnten dir noch schnell ein Paket an deine Jugendherberge schicken.«

»Nein, lieber nicht. Ich habe alles.«

Plötzlich begann der Apparat zu piepsen. Ich blickte auf die Digitalanzeige. Mein Guthaben war schon fast aufgebraucht.

»Vater, ich muß jetzt Schluß machen. Diese westlichen Apparate zeigen das immer sofort an.«

»Waldemar, schick deiner Mutter noch eine letzte Karte. Sie hat sich die erste gleich ans Küchenregal gehängt. Und mach dir wegen Herrn Kuka keine Sorgen. Wir lieben ihn gar nicht so, wie Mutter das gesagt hat. Ich glaube, er ist ein Gauner.«

»Über ihn habe ich auch einiges zu berichten. Du wirst Augen machen. Augen wie ein nordamerikanischer Biber.«

Mein Vater lachte.

Die Digitalanzeige sprang auf Null.

»Sag Mama, daß ich ganz bestimmt planmäßig zurückkomme. Schon allein, um Doktor Kilinski auf meine Mandeln anzusprechen.«

Dann wurde die Verbindung unterbrochen. Ich starrte eine Weile auf die Anzeige und stellte fest, daß ich über hundertfünfzig Schilling verbraucht hatte. Das war mein halber Tageslohn. Aber ich hätte auch das Doppelte hingeblättert. Es tat wirklich gut, meine Alten wieder zu hören.

21

Das Telefongespräch mit meinen Eltern machte mir plötzlich klar, wie wenig Zeit mir blieb, Irina wiederzusehen. Seit dem Museumsbesuch dachte ich nämlich an nichts anderes und grübelte ständig, wie ich es am besten in die Wege leiten konnte. Aber ausgerechnet dann, als ich einen erfolgversprechenden Plan ausgetüftelt hatte, kam etwas dazwischen, gegen das sich sogar die Schwimmbadkatastrophe harmlos ausnahm. Sonderbarerweise war Irina daran ein bißchen mitschuldig. Denn hätte sie an jenem Nachmittag Bernstein nicht angerufen, wäre er nicht früher aus dem Geschäft gegangen, und alles wäre anders gelaufen.

Ich stapelte gerade eine neue Lieferung von Legosteinen, als Bernstein aus seinem Büro kam. Er hatte bereits sein Sakko unter dem Arm und war weiß wie eine Wand. Er sagte zu mir: »Ich muß für ein paar Tage verreisen. Falls jemand nach mir fragen sollte, sagen Sie, daß ich auf eine Spielzeugmesse gefahren bin. Würden Sie währenddessen auf das Geschäft aufpassen?«

»Selbstverständlich«, sagte ich, ohne mit dem Stapeln aufzuhören. Ich war ganz schön nervös, weil ich fürchtete, daß Irina unser Museumstreffen ausgeplaudert hatte. Aber dann würde Bernstein mir wohl kaum sein Geschäft anvertrauen.

»Sie sind ein richtiger Glücksgriff, Waldemar.« Er legte die Geschäftsschlüssel auf den Ladentisch. »Vergessen Sie bitte nicht, das untere Schloß abzusperren und sich um die Dose zu kümmern. Heute ist Donnerstag.«

Er verstummte und beobachtete, wie ich die Legosteine stapelte. Er wollte noch irgend etwas loswerden. »Erinnern Sie sich noch an diese junge Frau, die vor zwei Wochen hier hereingeschneit kam?« fragte er.

»Flüchtig«, log ich.

»Ich fahre ein paar Tage mit ihr aufs Land. Irgend etwas sagt mir, daß es das letzte Mal sein könnte. Halten Sie mir also die Daumen. Bis Montag dann.«

Er drehte sich um und verließ den Laden. Ich stand auf und sah ihm nach, bis er in seinen Wagen stieg. Dann nahm ich die nächste Legoschachtel vom Boden und betrachtete ihren Deckel. Darauf war ein rechteckiges Kästchen abgebildet. Genau so eins, wie ich es beim ersten Treffen mit Irina zusammengebaut hatte. Ich betrachtete es lange und aufmerksam.

Pünktlich um sechs sperrte ich den Laden zu und ließ die Rolläden herunter. Normalerweise ging ich immer zu Fuß nach Hause, weil es nur zehn Minuten entfernt war. Aber diesmal sah es nach Regen aus, und ich ging zur U-Bahn hinunter. Da ich schon ewig lange nicht mehr mit der U-Bahn gefahren war, erwischte ich irrtümlich eine Unterführung, die nicht zu einem Bahnsteig, sondern zu einem Lüftungsschacht führte. Die U-Bahn-Haltestellen waren voll von solchen Sackgassen, die für nichts außer für Tauben gut sind. Als ich kehrtmachte, kamen zwei Personen die Treppe herunter. Sie hatten sich offenbar auch verlaufen, denn als sie unten ankamen, sahen sie sich genauso unschlüssig um wie ich. Sie drehten sich in meine Richtung, und wir starrten uns verblüfft an.

Es waren die Skins, die Bolek vor einem Monat verprügelt hatte. Sobald sie mich erkannt hatten, sahen sie sich ängstlich um, ob Bolek nicht in der Nähe war. Dann kamen sie zu mir, und der in der »Anfang-vom-Ende«-Jacke sprach mich an: »Heute so ganz allein unterwegs?«

»Nein«, log ich. »Der Große kauft Fahrscheine am Automaten. Er kommt gleich.«

»Dann seid ihr wohl nicht mehr Schwarzfahrer, was?« sagte der in der »Negativ«-Jacke.

Erst jetzt merkte ich, daß er die Hand in Gips hatte, mit der er gegen die Wand geknallt war.

»Nein. Nicht mehr.«

Sie verstummten und sahen sich noch mal um. Plötzlich runzelte »Anfang vom Ende« die Stirn: »Warum wartest du eigentlich auf deinen Kumpel nicht auf dem Bahnsteig?«

»Wir treffen uns immer vorher hier.«

Sie tauschten einen Blick aus. »Anfang vom Ende« sah auf die Uhr. »Der kommt aber irgendwie nicht.«

»Keine Angst. Er kommt sicher.«

»Wir haben keine Angst. Warum auch?«

Sie traten einen Schritt näher. Dann noch einen. »Anfang vom Ende« blieb vor mir stehen, und »Negativ« hielt sich etwas zurück. Ich schielte hinauf zur Treppe und sah ein Dreieck vom bedeckten Himmel.

Kein Mensch war zu sehen. Plötzlich startete ich durch wie eine Rakete. Ich war schon fast an der Treppe, als ich der Länge nach hinflog. Fast wäre ich mit dem Gesicht gegen die Treppe geknallt. Die Dose mit dem Wochenumsatz fiel aus meiner Jacke und rollte, als wäre sie lebendig, genau vor die Füße von »Negativ«.

Er hob sie auf und betrachtete sie neugierig: »Hey! Das sieht aber nicht nach Bier aus.«

»Zeig her.« »Anfang vom Ende« nahm ihm die Dose aus der Hand und schüttelte sie. »Hört sich an, als wären irgendwelche Papiere drin.«

Ich richtete mich auf und sagte: »Das sind ein paar Dokumente. Buchhalterzeug.«

»Anfang vom Ende« spielte den Überraschten. »Du wolltest doch weglaufen.« Er zeigte auf die Treppe. »Bitte schön, der Weg ist frei.«

»Nicht ohne die Papiere«, sagte ich.

»Wieso bist du so scharf auf sie, wenn die so langweilig sind?«

»Mir sind die egal. Aber dem, dem sie gehören, sind sie nicht egal.«

»Weil es vielleicht keine Papiere sind, sondern was anderes? Geld zum Beispiel?«

»Da ist bestimmt kein Geld drin.«

»Dann können wir's doch ruhig mitnehmen, oder?«

Ich runzelte die Stirn, als würde ich über ihren Vorschlag nachdenken. Dann schnappte ich nach der Dose und versuchte sie »Negativ« zu entreißen. Es entstand ein Handgemenge, bei dem wir alle drei ziemlich amateurhaft aussahen. Dabei bekam ich einen Schlag in den Magen ab. Ich ließ die Dose los und wankte ein paar Schritte zurück. Ich war mehr verblüfft als erschrocken.

»Anfang vom Ende« kam zu mir und sah mir ins Gesicht. »Bist du lebensmüde oder was?« rief er. Er klang ganz schön nervös. Er hatte Angst, daß er mich beschädigt hatte.

Ich krümmte mich, als hätte ich wahnsinnige Schmerzen, und stöhnte. »O Gott, ich glaube, mein Magengeschwür ist geplatzt.«

»Laß den Scheiß! Davon kriegst du nicht mal eine Beule. Wenn du was sehen willst, was richtig weh tut, dann schau dir lieber das an.« Er zeigte auf die eingegipste Hand von »Negativ«.

»Der wird seinen kleinen Finger bis ans Lebensende nicht mehr richtig bewegen können. Und mir hat dein großer Kumpel voll in die Eier getreten. Ich habe die komplette Sternwarte gesehen. Ich frag dich, war das etwa nett?«

»Gib mir die Dose zurück.«

»Negativ« trat zu mir und hielt mir die Dose vor die Augen. »Nein. Und dafür kannst du dich bei deinem großen Kumpel bedanken. Der ist nicht ganz dicht. Richte ihm das aus, wenn du ihn siehst.«

Plötzlich hörte man Schritte. Die Skins verstummten und horchten auf.

»Verschwinden wir hier«, sagte »Anfang vom Ende«. »Vielleicht hat er doch nicht mit dem Großen gelogen?«

Das brauchte man dem anderen nicht zu wiederholen. Sie sahen sich nach allen Seiten um und liefen die Treppe hinauf, als wäre der Teufel hinter ihnen her. Ich richtete mich ganz auf. Der Schlag hatte nicht weh getan, aber mir war trotzdem ein bißchen mulmig. Schon allein deshalb war an eine Verfolgung nicht zu denken. Ich atmete ein paarmal tief durch und wankte die Treppe hinauf. Als ich oben war, drehte ich mich um die eigene Achse. Von den Skins war nichts mehr zu sehen. Dann schlug ich den Weg nach Hause ein. Ich verzichtete auf die U-Bahn. Ich hatte keine Lust mehr darauf, außerdem sah es nicht mehr nach Regen aus.

Zehn Minuten später betrat ich unsere Wohnung. Bolek war noch nicht von der Arbeit zurück, und Lothar sah sich einen Science-fiction-Film an. Man konnte die Kampfgeräusche bis in die Küche hören. Ich ging zum Spiegel und betrachtete mein Gesicht darin. Aus irgendeinem Grund bildete ich mir ein, daß ich bei dem Handgemenge einen Kratzer die Wange entlang abbekommen hatte. Aber es war nichts zu sehen. Ich untersuchte die Stelle, wo »Negativ« mich getroffen hatte. Sie war gerötet, aber ich würde daran bestimmt nicht sterben.

Ich sah wieder in den Spiegel und rief leise: »Lothar, kannst du mal herkommen?«

»Muß das sein? Die Klingonen greifen gerade an.«

»Es muß sein.«

Er stellte den Fernseher leiser und stelzte in die Küche. Er blieb im Türrahmen stehen und sah mich ungeduldig an.

»Weißt du, wen ich gerade getroffen habe?« fragte ich, ohne vom Spiegel wegzusehen.

»Keine Ahnung. Marilyn Monroe? Erich Honecker? Der Film läuft, Mensch!«

»Erinnerst du dich an die beiden Skins, die Bolek in der U-Bahn vor einem Monat verprügelt hat?«

»Nebelumschleiert.«

»Die habe ich getroffen.«

»Ja und? Ich sehe täglich Dutzende von Skins. Wo bleibt die Pointe?«

»Die Pointe ist, daß ich jetzt deswegen Bernstein vierzigtausend Schilling schulde.«

Lothar kam an den Tisch und setzte sich. »Erzähl.«

Ich erzählte ihm alles, was passiert war. Bis ins kleinste Detail. Ich gab sogar das ganze Gespräch wortgetreu wieder. Ich sprach dabei zu meinem Spiegelbild, als würde ich alles mir selbst erzählen.

Lothar hörte mit wachsender Neugier zu. Am Ende war er so beeindruckt, daß er kurz durchs Zimmer lief und den Fernseher ausschaltete. Dann kam er wieder und schüttelte den Kopf: »Wenn Minderwertigkeitskomplexe eine Währung wären, könnten sich Skinheads alles kaufen. Aber eins verstehe ich nicht. Warum hat Bolek sie bloß damals so zugerichtet?«

»Man muß in diesem Schwimmbad gewesen sein, um es zu verstehen.«

Ich verstummte. Ich hatte meine Zweifel, ob Bolek an dem Ganzen wirklich schuld war. Genauso hätten dann auch meine Schuhe und tausend andere Dinge schuld sein können. Von mir ganz zu schweigen. Schließlich habe ich vor Wochen an Herrn Kukas Tür geklopft, weil ich unbedingt in den Westen fahren wollte.

Plötzlich stand Lothar auf und sagte: »Du brauchst dir keine Sorgen zu machen. Ich werde dir das Geld leihen.«

Ich sah ihn verblüfft an. »Das sind immerhin vierzigtausend.«

»Ich habe ein Konto auf der Bank, auf das meine Alten mir Geld schicken. Es ist zwar im Moment nicht so viel darauf, aber wenn wir mit dem Abteilungsleiter reden, kann ich es bestimmt überziehen.«

»Aber da müßten wir schon morgen hin. Bernstein kommt am Montag zurück. Das klappt nie.«

»Wie es sich so ergibt, wollte ich dort morgen sowieso hin wegen meiner Kreditkarte.«

Ich sah wieder in den Spiegel und schöpfte ein wenig Hoffnung. Ich hatte immer noch Bernsteins »Sie sind ein echter Glücksgriff, Waldemar« im Ohr.

Lothar kam zum Spiegel und stellte sich neben mich. Unsere Köpfe waren jetzt beide zu sehen. Er grinste, als ob er nachsehen wollte, ob er alle Zähne hatte. Dann tätschelte er mir die Schulter: »Ich weiß, was in dir vorgeht. Es geht nicht nur ums Geld, was? Du willst nicht, daß man dich für einen Dieb hält. Besonders jetzt, wo deine Landsleute so einen schlechten Ruf haben. Keine Angst, morgen ist deine Ehre wiederhergestellt. Der kleine Dieb Lothar hilft dir wieder zurück auf den rechten Pfad. Irgendwie schon eine Ironie des Schicksals. Findest du nicht?«

22

Am nächsten Tag saßen wir bereits auf einem Ledersofa in Lothars Bank und warteten, bis man uns zu einem gewissen Abteilungsleiter Dr. Heftl vorlassen würde. Lothar steckte in einem schwarzen Armani-Anzug, und ich hatte ein anderes Hemd und neue Schuhe an. Lothar hatte sie mir geliehen, als sich herausstellte, daß wir die gleiche Schuhgröße hatten. Kurz bevor wir hierhergekommen waren, hatten wir in Bernsteins Laden vorbeigeschaut. Lothar hatte aus einem unerfindlichen Grund darauf bestanden. Von dort aus waren wir direkt zu seiner Bank gegangen.

Am anderen Ende der Schalterhalle tauchte ein junger Beamter auf und durchquerte sie im Eiltempo. Er blieb vor uns stehen und zeigte mit einer einladenden Geste auf den Lift. »Dr. Heftl erwartet Sie in seinem Büro. Folgen Sie mir bitte.«

Wir stiegen in einen Lift, der so groß war wie unsere Küche, und der Beamte drückte einen Knopf auf der hochglanzpolierten Messingtafel neben der Tür. Der Lift fuhr lautlos nach oben. Durch seine Glastür sah ich, wie sich die Bank von Stockwerk zu Stockwerk veränderte. Je höher wir stiegen, desto ausgestorbener wirkte das Gebäude, und die Gänge wurden geräumiger und heller. An den Wänden und in den Gängen tauchten Bilder und Skulpturen auf. Das Stockwerk, auf dem wir ausstiegen, war voller Bilder mit moderner Kunst. Sie sahen aus wie eine Pizza im Schleudergang.

»Versuch erst gar nicht, das zu verstehen«, flüsterte Lothar.

Der junge Beamte blieb vor einem der Büros stehen und sagte: »Ab jetzt übernimmt Dr. Heftls Sekretärin. Viel Glück bei Ihren Geschäften.«

Er ging zum Lift und fuhr wieder hinunter.

»Entspann dich, Waldi«, sagte Lothar. »Das hier ist mein Gebiet. Ich bin praktisch in einer Bank aufgewachsen. Und vergiß nicht, was ich gesagt habe. Überlaß das Reden mir. Ich bin für die nächsten zehn Minuten der Boß hier, klar?«

Die Tür zum Büro öffnete sich, und es kam eine rothaarige Frau in einem Mini heraus. »Ich bin Dr. Heftls Sekretärin«, stellte sie sich vor. »Er erwartet Sie bereits. Darf ich Sie bitten?«

Wir folgten ihr und betraten ein Büro, das zweimal so groß war wie unsere Wohnung.

Abteilungsleiter Dr. Heftl saß am anderen Ende des Raumes hinter einem Mahagonischreibtisch und las irgendein Dokument. Ohne aufzusehen, zeigte er auf die Sessel vor seinem Schreibtisch: »Nehmen Sie doch Platz, meine Herren. Ich bin gleich fertig.«

Wir gingen an seinen Schreibtisch und setzten uns in zwei bequeme Ledersessel. Während Lothar sich in dem Büro umsah, betrachtete ich Dr. Heftl. Er war ungefähr so alt wie mein Vater und hatte ein glattrasiertes ovales Gesicht. Er steckte in einem grauen Anzug, der nicht an den von Lothar heranreichte.

Seine Krawatte war schlampig gebunden. Er war wohl insgesamt kein Ordnungsfanatiker, denn auf seinem Schreibtisch herrschte ein Chaos wie nach einem Atomschlag. An der Wand hinter ihm hing eine Art Maskottchen. Es war eine Zigarette hinter Glas. Darunter waren ein kleiner Hammer und der Spruch: »Im Notfall einschlagen.«

Dr. Heftl löste sich endlich von seinem Dokument und hielt es in die Höhe, damit wir es besser sehen konnten. »Manche Leute wissen nicht, wann sie Ruhe geben sollen«, sagte er und warf es demonstrativ in den Bürokorb. Dann lehnte er sich zurück und nahm die Visitenkarte in die Hand, die Lothar sich am Tag zuvor von einem Automaten hatte drucken lassen.

»Herr Wörner. Aus Stuttgart«, las er laut vor. »Sehr schön.« Er sah mich fragend an. »Und wer sind Sie, bitte?«

Lothar sprang für mich ein: »Das ist Herr Schmidt. Mein Freund und Finanzberater.«

Dr. Heftl lächelte: »Ich hatte auch mal einen Freund, der zugleich mein Berater war. Aber das hat sich schnell erledigt.« Dann sah er uns an, als wären wir der ideale Anlaß für etwas, das er schon lange hatte tun wollen. »Wäre es zuviel verlangt, wenn wir vor dem geschäftlichen Teil schnell einen Tee zur Brust nehmen würden? Meine Kehle ist schon ganz ausgetrocknet.«

Lothar und ich tauschten einen Blick aus.

»Warum nicht?« sagte Lothar. »Wenn Sie grünen Tee hätten, wären wir schon zufrieden.«

»Endlich Geschäftsleute nach meinem Geschmack.« Er winkte die Sekretärin heran, die erwartungsvoll im Zimmer stand. »Fräulein Nitsch! Zweimal grünen Tee für unsere Gäste aus Deutschland und für mich das Übliche.«

»Kommt augenblicklich, Herr Doktor.« Fräulein Nitsch trabte freudig hinaus.

»Sekretärinnen«, Dr. Heftl schüttelte nachsichtig den Kopf, »alles heimliche Mütter.« Dann faltete er die Hände und wandte sich an Lothar. »Herr Wörner? Wenn Sie aus Stuttgart sind, kennen Sie sich dort doch ganz gut aus. Gibt es in der Schönemannstraße noch das Café ›Solo‹? Die haben dort so ausgezeichneten Tee mit Rum serviert.«

»Es ist vor zwei Jahren zugemacht worden.«

»Das kann doch nicht wahr sein«, sagte Dr. Heftl. »Wissen Sie vielleicht, warum?«

»Die Besitzer waren bankrott. Darauf verfiel das Nutzungsrecht, und jetzt steht dort ein McDonald's.«

Dr. Heftl nickte ein paarmal: »Tja. Alles ändert sich zum Schlechteren.« Er beugte sich leicht nach vorn und sagte in vertraulichem Ton: »Dabei könnte man dagegensteuern. Allein in einer Bank wie der unseren gibt es Kundeneinlagen, die jahrelang, was sage ich, Jahrzehnte nicht angerührt werden. Wußten Sie, daß eine Promille dieser Einlagen ausreichen würde, um solche Lokale wie das ›Solo‹ zu kreditieren? Und unsere Kunden würden das nicht einmal merken.«

Dr. Heftl merkte, daß es jetzt zu vertraulich geworden war, und fügte hinzu: »Ich sage das natürlich als Privatmann und nicht als Abteilungsleiter dieses ehrenwerten Unternehmens.«

»Aber so«, setzte Lothar seinen Gedanken ungerührt fort, »werden wir alle eines Tages in einem

McDonald's aufwachen. Wenn sich die Privatleute nicht gegenseitig helfen, hilft uns niemand.«

»Ihr Wort in Gottes Ohr, Herr Wörner. Leider hört er nicht auf uns.«

»Wenn wir ihm da oben einen McDonald's hinstellen würden, würde er uns sofort hören.«

Dr. Heftl begann zu lachen. Es fehlte nicht viel, daß ihm Tränen über die Wangen zu kullern begonnen hätten. Ich hatte noch nie vorher einen Abteilungsleiter gesehen, aber auch so wußte ich, daß Dr. Heftl als Privatmann ein leutseliger Geselle war. Er hörte zu lachen auf und rief: »Ah, da kommt ja schon der Tee.«

Fräulein Nitsch bahnte sich mit einem riesigen Tablett den Weg durch die Tür und trat an den Schreibtisch. Der grüne Tee blieb auf unserer Seite stehen, und eine Tasse mit rätselhaftem Kräutergebräu landete auf Dr. Heftls Seite.

»Vielen Dank, Frau Nitsch. Stellen Sie in der nächsten halben Stunde keine Anrufe durch. Reicht uns die Zeit, Herr Wörner?«

»Das ist schon fast zuviel.«

Fräulein Nitsch klemmte sich das Tablett wie eine Profikellnerin unter den Arm und marschierte hinaus. Wir sahen ihr schweigend nach.

Dr. Heftl führte seine Tasse zum Mund und schlürfte mit sichtlichem Genuß. Vielleicht weil ein Schuß Rum drin war, dessen Duft langsam den Raum erfüllte. Er stellte die Tasse ab und zeigte entschuldigend darauf: »Eine kleine Magenverstimmung. Die Geißel aller Führungskräfte. Was kann also ein kleiner Abteilungsleiter für die netten Herren aus Deutschland tun?«

»Vor einiger Zeit habe ich in Ihrer Bank ein Konto eingerichtet, das ich jetzt überziehen möchte.«

»Kein Problem. Bei der Gelegenheit möchte ich Sie gleich informieren, daß wir bei einem größeren Überziehungsrahmen einen leichten Anstieg der Verzinsung vorsehen müssen. Sie wissen das sicherlich?«

»Deutschland ist kein Dorf«, sagte Lothar.

»So war das auch nicht gemeint. Leider ist Österreich ein kleines Land, mit leider relativ hohen Zinsen.«

»Ich glaube, daß Herr Schmidt und ich das überleben werden.«

»Daran habe ich keine Minute gezweifelt. Wie lautet die werte Kontonummer?« Dr. Heftl zog die Tastatur zu sich.

»589 897 700.«

Er tippte mit einem Finger die Nummer ein. »Ah so. Da hätten wir schon was.«

Dr. Heftls Augen flogen von Zeile zu Zeile, bis er die Stirn runzelte. »Machen wir es noch mal.«

Er tippte nochmals die Zahl ein. »Seltsam. Aber es gibt kein Konto unter dieser Nummer.«

»Das kann nicht sein«, staunte Lothar.

»Nur die Ruhe, Herr Wörner. Sehen Sie doch bitte noch mal auf Ihrem Kontoauszug nach, vielleicht stimmt die Nummer nicht. Sie haben doch sicher einen dabei?«

»Und ob ich einen habe! Augenblick bitte.«

Plötzlich tat Lothar etwas Seltsames. Er drehte sich zu mir und legte mir die Hand auf die Schulter, als wollte er mich darauf vorbereiten, was gleich folgen sollte. »Keine Angst, Waldi«, murmelte er. »Es wird so sein wie bei Demel. Wir sind im Nu wieder draußen.«

Er griff in die Innentasche seines Sakkos. Aber statt eines Kontoauszugs zog er eine Wasserpistole heraus. Sie sah aus wie eine echte Pistole. Kein Wunder. Sie war aus Bernsteins Laden, womit mir auch klarwurde, warum Lothar dort noch unbedingt vorbeischauen wollte.

Er richtete die Pistole auf Dr. Heftl und sagte: »Nur keine Panik, Herr Doktor. Betrachten Sie es als eine Art Experiment, an dem wir alle drei jetzt teilnehmen werden.«

Dr. Heftl war weit davon entfernt, Panik zu empfinden. Er war so verblüfft, daß er kein Wort herausbrachte. Er hob jedoch für alle Fälle die Hände.

»Sie werden jetzt genau das tun, was ich sage, Dr. Heftl. Ich würde ungern einem so sympathischen Abteilungsleiter wie Ihnen etwas zuleide tun.«

Lothar griff in seine Tasche und holte eine Plastikkarte hervor. Sie sah aus wie eine große Kreditkarte mit einem Siegel in der Mitte. Lothar legte sie vor Dr. Heftl auf den Tisch. »Sie werden das jetzt brauchen, Herr Doktor«, sagte er.

Dr. Heftls Augenbrauen gingen nach oben. »Grundgütiger!« murmelte er. »Das ist eine EM-Karte. Wo haben Sie die her? So etwas hat doch nur der Direktor.«

»Zufällig besuchen Ihr Direktor und ich dieselben Läden in der Innenstadt. Dabei kam es kürzlich zu einer bedauerlichen Verwechslung der Brieftaschen. Sobald mir klarwurde, was ich da in der Hand hatte, kam ich zu Ihnen, Dr. Heftl.«

Lothars Stimme wurde härter.

»Und jetzt zurück zu Ihrem PC.«

Dr. Heftl rutschte zur Tastatur hinüber.

»Sie tippen jetzt die erste Ziffernreihe von oben aus gesehen. Das verschafft uns den Zugang zu den Hauptdateien, wenn ich mich nicht täusche. Und da ich in einer Bank aufgewachsen bin, täusche ich mich sicher nicht.«

Dr. Heftl tippte brav die Zahlen ein. Er war offenbar selber gespannt, was passieren würde.

»Ich bin drin«, sagte er.

»Und jetzt geben Sie die unteren zwei Nummern ein.«

Dr. Heftl tippte wie verrückt. Als er fertig war, sah er vom Bildschirm auf. »Und jetzt?«

»Jetzt sind wir gleich im Paradies.« Lothar wandte sich mir zu. »Bin ich nicht ein Genie? Das ist der kultivierteste Banküberfall in der Geschichte. Wir könnten jetzt auf jedes beliebige Konto eine x-beliebige Summe überweisen und ohne Gefahr wieder abholen. Wieviel sollen wir nehmen, Waldi? Sag eine Zahl von eins bis hundert.«

Auf einmal runzelte Dr. Heftl die Stirn. Sein Blick hatte Lothars Pistole gestreift, und er sagte plötzlich: »Ich fürchte, daraus wird nichts.« Seine Hand begann langsam auf die rechte Seite des Schreibtisches zu wandern.

»Wie bitte?«

»Sehen Sie mal da. Ihre Pistole tropft.«

Wir alle sahen wie ein Mann auf Lothars Pistole herunter. Aus dem Lauf löste sich gerade ein Tropfen. Er fiel auf Dr. Heftls Schreibtisch, wo sich bereits eine kleine Pfütze gebildet hatte. Lothar hatte die Pistole mit Wasser gefüllt, damit sie wie eine echte in der Hand lag. Er konnte nicht wissen, daß der Lauf ein Loch hatte, wo man das Preisschild einsteckte. Das geschah ihm recht. Er hätte mich fragen sollen.

Einen Moment herrschte tiefes Schweigen.

»Ich würde sagen, Ihnen sind gerade gewissermaßen die Argumente ausgelaufen, Herr Wörner«, sagte Dr. Heftl.

Seine Hand erreichte ihr Ziel und schob ein paar Dokumente beiseite. Eine Reihe von Knöpfen an seinem Schreibtisch kam zum Vorschein.

»Ich schätze, Sie kriegen mindestens zehn Jahre für dieses Theater. Und da wird keiner fragen, ob in Ihrer Pistole Blei oder Himbeersaft war.«

Lothar biß die Zähne zusammen und überlegte fieberhaft.

»Drücken Sie nur, wenn Sie sich ins eigene Fleisch schneiden wollen«, sagte er. Seine Stimme zitterte leicht.

Dr. Heftl zögerte: »Ich verstehe kein Wort. Was meinen Sie?«

Lothar steckte die Pistole ein und stützte sich mit beiden Händen auf den Schreibtisch. Er sagte ganz langsam: »Wenn Sie diesen Knopf drücken, wird die Karte beschlagnahmt. So aber könnten Sie sie dem Herrn Direktor persönlich vorbeibringen. Er sucht sie sicher schon überall und wird sich womöglich sehr dankbar zeigen. Sie können sie natürlich auch erst morgen vorbeibringen, wenn Sie verstehen, was ich meine. Denken Sie an das Promille der Kundeneinlagen, von dem niemand was erfährt.«

Dr. Heftl lächelte. Man mußte dieses Lächeln sehen. Es warf ein ganz neues Licht auf Geschäftsleute. Diese beiden Burschen paßten irgendwie zueinander.

Plötzlich öffnete Dr. Heftl die Schublade und ließ die Karte darin verschwinden. Seine Hand schwebte einen Moment in der Luft, übersprang den Alarmknopf und drückte die Sprechanlage.

»Fräulein Nitsch«, sprach Dr. Heftl hinein. »Kommen Sie bitte.«

Fräulein Nitsch erschien in der Tür.

»Unsere Herren aus Deutschland möchten wieder gehen. Begleiten Sie sie nach draußen.« Er wandte sich an uns. »Lassen Sie sich hier nie wieder blicken. Sonst wird unsere Vereinbarung ungültig.«

Wir wurden von dem leicht desorientierten Fräulein Nitsch hinausgeführt, gingen an den modernen Bildern vorbei und stiegen in den Lift. Dann fuhren wir hinunter, wie wir heraufgekommen waren, durchquerten die Halle und verließen die Bank.

Als wir auf der Straße waren, blieb ich stehen und sagte: »Du hättest mich gerade beinah ins Gefängnis gebracht. Niemand hätte mir geglaubt, daß ich damit nichts zu tun habe. So was hätte ich nicht einmal von Arnold, geschweige denn von einem Freund erwartet. Du bist ein Riesenarschloch, Lothar.«

Lothar antwortete nicht. Er zeigte mir statt dessen seine Hände. Sie zitterten wie verrückt. Dann legte er eine dieser zitternden Hände auf meine Schulter: »Es ist noch schlimmer, Waldemar. Ich bin nicht nur ein egoistisches, verantwortungsloses Schwein. Ich fürchte, ich bin auch gerade aus meinem Schlaf erwacht.«

23

Wir kamen erst am späten Abend heim in der Hoffnung, daß Bolek schon schlafen würde. Lothar sprach, seit wir Dr. Heftls Büro verlassen hatten, fast überhaupt kein Wort mit mir. Und mir war auch nicht nach Reden zumute. Nicht nur, daß ich noch immer kein Geld hatte, ich wäre beinah im Gefängnis gelandet.

Leider erwartete uns zu Hause eine weitere Überraschung. Statt zu schlafen, wartete Bolek bereits auf uns. Als wir in die Küche traten, sprach er Lothar gleich an: »Wo ist das Abendessen, Ali Baba?«

Er nannte ihn immer so, wenn er gereizt war.

»Ich versteh kein Wort. Was für ein Essen?«

»Heute ist Freitag. Du warst heute mit dem Einkaufen dran. Im Kühlschrank liegen nur eine Flasche Wodka und Olivenöl.«

»Ach du Scheiße. Was für ein Tag«, stöhnte Lothar und setzte sich an den Tisch.

Bolek betrachtete Lothar von oben bis unten. Er bemerkte den Armani-Anzug. »Ist jemand gestorben oder was?«

»Ja«, antwortete Lothar. »Ich.«

»Trotzdem siehst du noch lebendig genug aus, um runterzulaufen und was zu essen zu holen. Ich habe heute nämlich elf Stunden lang einen Preßlufthammer bedient, und mein Magen versteht keinen Spaß mehr. Er geht nicht schlafen, bevor nicht was auf dem Tisch steht.«

»Lothar hatte heute einen schweren Tag. Wie wäre es, wenn ich hinuntergehe und was hole?« schlug ich vor.

Bolek lächelte ironisch: »Ach was? Haben sie bei Julius Meinl den Lachs an die Kette gelegt? Oder haben sie endlich Lothars Foto an der Kasse aufgehängt?«

Die letzte Bemerkung versetzte Lothar aus einem vollkommen unerfindlichen Grund in Rage. Er hielt Bolek seine Hand vors Gesicht und machte mit Daumen und Zeigefinger eine Zange. »Schau her. Ich bin *so* knapp davon entfernt zu explodieren. Wenn Waldi sagt, ich habe einen schweren Tag gehabt, dann heißt das, ich habe heute einen katastrophalen Tag gehabt, verstanden?«

Bolek antwortete ganz leise: »Und mein Magen fängt jetzt an, bis zehn zu zählen, verstanden? Er will sehen, wie du gleich in deinem Smoking runterläufst und ein Abendessen holst. So wie es ausgemacht war.«

Beide schwiegen und sahen sich an. Auf der einen Seite war Bolek, ein hungriger und unberechenbarer Slawe, auf der anderen Lothar, ein erfolgreicher Dieb, der gerade einen mißlungenen Banküberfall hinter sich hatte. Und er blieb verdächtig ruhig. Er stand auf und sagte: »Du kriegst dein Abendessen. Und zwar eins, das du bis an dein Lebensende nicht vergißt. Aber wenn ich in einer halben Stunde nicht zurück bin, wartet nicht mehr auf mich.«

Er marschierte hinaus und schlug die Tür hinter sich zu.

»Scheiße, jetzt bin ich schuld, wenn sie ihn erwischen«, sagte Bolek.

»Um die Zeit ist schon alles zu«, beruhigte ich ihn. »Außerdem klaut er heute nichts mehr. Glaub mir.«

Bolek runzelte die Stirn. »Du kennst ihn nicht so gut wie ich.«

Dann sprachen wir kein Wort mehr und warteten, daß Lothar wiederkommen würde. Bolek machte sich inzwischen einen Tee, und ich zog mich um. Eine halbe Stunde später war Lothar zurück. Er trug sein Sakko unter dem Arm. Irgend etwas bewegte sich darin. Er ging damit zum Tisch, breitete das Sakko dort aus, und eine lebendige Parkente blinzelte ins Tageslicht. Sie war nervös und bewegte ruckartig das Köpfchen, aber ansonsten war sie ganz in Ordnung.

»Was soll denn das sein?!« staunte Bolek.

»Dein Abendessen. Erkennst du es nicht?«

Lothar beugte sich zur Ente hinunter und zeigte ihr Bolek. »Sag ›guten Tag‹ zu dem Mann, der dich heute aufessen wird. Seinetwegen hast du heute den ganzen Streß. Nicht wegen mir.«

Bolek lächelte entrüstet: »Was erzählst du da für einen Schwachsinn? Das ist ein Tier. Die versteht doch kein Wort.«

»Im Gegenteil. Weißt du, wie intelligent sie ist? Sie hat in der U-Bahn keinen Mucks gemacht.« Lothar streichelte ihr das Köpfchen. »Sie weiß sogar sehr gut, in welcher Welt wir leben. In Serbien können Tausende täglich ruhig krepieren, aber wenn jemand eine Ente aus dem Stadtpark mitgehen läßt, sehen die

Leute plötzlich rot. Ich sehe schon die Schlagzeilen in der Kronenzeitung: DEUTSCHER MIT UNDURCHSICHTIGEN BEZIEHUNGEN ZUM OSTBLOCK GEFÄHRDET HEIMISCHE VOGELARTEN oder ÖSTERREICHISCHE PARKENTE ALS ABENDESSEN FÜR PRESSLUFTHAMMERARBEITER AUS OSTBLOCK.«

»Ich brauche mir diesen Spinner nicht anzuhören«, sagte Bolek und steuerte aufs Wohnzimmer zu.

Lothar hielt ihn zurück. »Augenblick mal. Willst du nicht sehen, wie sie ins Rohr kommt? Willst du nicht den Duft ihres armen kleinen gebratenen Entenkörpers riechen? Uns läuft schon das Wasser im Mund zusammen, was, Waldi?«

Ich enthielt mich lieber einer Antwort.

»In Ordnung«, nickte Bolek. »Du hast es geschafft. Mir ist der Appetit vergangen. Ich geh hinunter und kauf mir einen Hot dog.«

»Das hättest du dir früher überlegen sollen. Wie wollen wir sie machen? Sautiert oder in Olivenöl?«

Lothar kniete vor dem Ofen und begann ihn auszuräumen. Bratpfannen fielen auf den Boden, wie sie gerade kamen. Dann nahm er die Ente vom Tisch und probierte, ob sie in den Ofen paßt.

»Bist du verrückt? Was soll das? Die lebt ja noch«, rief Bolek.

»Alles lebt, bevor es gebraten wird.«

Bolek ging zu Lothar und stieß ihn vom Ofen weg. Während Lothar nach hinten griff, um das Gleichgewicht nicht zu verlieren, schnappte Bolek ihm die Ente weg. Er trug sie so vorsichtig ins Wohnzimmer, als wäre sie eine russische Kristallvase. Die Ente sah Bolek neugierig ins Gesicht.

Lothar rappelte sich hoch und stampfte mit dem Fuß auf. »Hast du das gesehen?! Er hat mir meine Ente geklaut! Ich hasse es, wenn man mir etwas Persönliches klaut.«

Er lief hinter Bolek her, und ich folgte, bereit, jeden Augenblick einzugreifen.

Im Wohnzimmer bot sich ein interessanter Anblick. Bolek saß bereits auf dem Sofa und fütterte die Ente mit Marzipankipferln, die noch von Frau Simaceks Besuch übriggeblieben waren.

Lothar stand daneben und zeigte auf Bolek. »Schau her, Waldi. Und wer spinnt hier? Wer füttert sein eigenes Abendessen? Noch dazu mit meinen Kipferln.«

Bolek sah die zufriedene Ente liebevoll an und schnurrte: »Hör nicht auf ihn. Iß nur schön. Der Verrückte hat diese Kipferln genauso geklaut wie dich. Eines Tages wird man ihn dafür auf dem elektrischen Stuhl so braten, wie er dich jetzt braten wollte.«

Lothar hätte sich am liebsten auf Bolek gestürzt, wenn Bolek nicht doppelt so groß gewesen wäre. Er sah sich verzweifelt um. »Waldi«, stöhnte er, »du weißt, was los ist. Ich lasse mir nicht gleich zweimal nacheinander in den Hintern treten.«

Ich sprach Bolek mit sanfter Stimme an: »Bolek, laß die Ente fliegen. Glaub mir, das ist das beste für uns alle.«

»Aber schau, wie ihr die Dinger schmecken. Genau wie der Simacek.«

»Laß es gut sein.«

Bolek sah zu mir auf. Er verstand überhaupt nicht, warum ich auf Lothars Seite war. Aber er spürte, daß etwas in der Luft lag, von dem er nichts wußte. Er wandte sich wieder der Ente zu und streichelte ihr Köpfchen: »Lassen wir dich entscheiden. Willst du nach Hause? Ja? Wirklich? Gut. Ihr habt Glück. Sie will.«

Er stand auf und ging zum Fenster. Dort streichelte er ihr noch mal das Köpfchen und schubste sie in die dunkle Nacht hinaus. Die Ente war im ersten Moment so verwirrt, daß sie ihre Flügel vergaß. Dann aber fing sie sich, zog ein paar Kreise im Hof und verschwand über den Dächern.

Danach herrschte in unserem Zimmer Stille wie in einem Grab. Wir sahen uns gegenseitig an. Lothar hielt noch immer eine Bratpfanne in der Hand. Als er sich dessen bewußt wurde, ging er in die Küche und legte sie in den Ofen zurück. Dann hörte man, wie die Tür von außen zuging. Bolek setzte sich auf das Sofa und starrte auf den ausgeschalteten Fernseher. Ich lehnte mich aus dem Fenster und sah in die Richtung, in die die Ente geflogen war.

Da hörte ich, wie ein paar Stockwerke tiefer jemand auf dem Balkon sprach. Es war der Hausbesorger Plachuta, der zu seiner Gattin sagte: »Gerlinde, da ist grad aus der Polackenwohnung was Großes aus dem Fenster geflogen. Das ist aber nicht runtergefallen, sondern richtig nach oben geflogen.«

»Ach so? Trotzdem. Morgen in der Früh werden wir das gleich der Simacek melden.«

In dieser Nacht konnten wir lange nicht einschlafen. Lothar war noch immer nicht von seinem Spaziergang zurückgekehrt, und Bolek wälzte sich unruhig in seinem Bett hin und her.

»Waldi, schläfst du schon?« flüsterte er.

»Nein.«

»Weißt du, ich muß immer wieder daran denken, wie er diese Ente angeschleppt hat. Vögel sind heilige Tiere für mich. Als kleiner Junge habe ich einmal auf dem Feld neben unserem Haus einen verletzten Storch gefunden. Er hatte sich einen Flügel gebrochen, und die anderen Störche waren ohne ihn abgeflogen. Ich wollte ihm helfen, weil er sonst den Winter nicht überlebt hätte, aber er hatte einen eigenartigen Stolz. Sobald ich auf einen Meter herankam, schlug er mit dem Schnabel nach mir. Ich habe noch heute eine Narbe davon. Weißt du, welche?«

»Du hast nur eine. Die auf der linken Wange.«

»Eben. Das passierte, als ich ihm einen Kartoffelsack über den Kopf stülpen wollte. Aber er war schneller. Um ein Haar hätte er mir ein Auge ausgestoßen. Bald fiel der erste Schnee, und sein Stolz verließ ihn noch immer nicht. Das Essen, das ich ihm brachte, rührte er nicht an. Eines Nachts kam schließlich der Frost. Die Temperatur fiel auf zehn Grad unter Null, und es schneite die ganze Nacht hindurch. Als ich am Morgen wiederkam, mußte ich ihn eine Weile suchen. Ich fand ihn auf einer Lichtung im Teich. Er war im Stehen erfroren, und der Schnee lag auf ihm wie ein Pelz. Wenn man sein Gefieder berührte, zerfiel es unter der Hand wie brüchiges Glas. Seine Augen sahen in die Richtung, aus der ich immer kam. Aber das Merkwürdige war, daß sein Flügel wieder ganz in Ordnung war. Er sah aus, als wäre er wieder gesund. – Das alles fiel mir ein, als Lothar mit dieser Ente hereinspaziert kam, verstehst du?«

»Ja. Schade nur, daß du es Lothar nicht erzählt hast.«

»Wozu? Der hätte das nicht verstanden.«

»Glaub mir, heute hätte er verstanden.«

24

Am Tag von Bernsteins Rückkehr war ich endgültig meine Illusionen los, daß ich jemals vierzigtausend auftreiben würde. Eigentlich konnte ich froh sein, daß es dabei geblieben war. Ich hätte jetzt auch in einer Zelle sitzen und mir den Kopf zerbrechen können, wie ich meinen Eltern beibringen sollte, daß mein Wienaufenthalt sich plötzlich um ein paar Jahre verlängert hat. So aber würde ich sogar früher als geplant zurückkehren. Daß heute nämlich mein letzter Arbeitstag angebrochen war, bezweifelte ich keine Sekunde. Denn wenn Bernstein erfahren würde, was mit seinem Umsatz passiert war, konnte es nur eine Frage von Minuten sein, bis er mich entlassen würde. Aber konnte ich ihm das verübeln? Diese Geschichte mit den Skins klang so unglaubwürdig, daß ich selber schon an ihrer Wahrhaftigkeit zu zweifeln begann.

Als ich an jenem Montagmorgen das Geschäft aufsperrte, war ich so nervös, daß ich fast den Schlüssel im Schloß abgebrochen hätte. Erst nach drei Versuchen gelang es mir, die Tür zu öffnen, und ich betrat den Laden. Als erstes holte ich aus meiner Hosentasche die Wasserpistole und betrachtete sie eine Weile. Dann steckte ich in das Loch, aus dem das Wasser auf Dr. Heftls Schreibtisch getropft war, das Preisschild ein und legte sie zu den anderen. Sie sah aus, als wäre sie nie weggekommen. Danach ging ich in Bernsteins Büro und machte mir einen Tee. Dabei fiel mein Blick auf den Wandkalender, und ich wurde richtig deprimiert. Auf den Tag genau vor einem Monat hatte mich Bernstein angestellt. Ich hatte mir dieses Jubiläum anders vorgestellt. Ich machte den Tee fertig, setzte mich an die Kasse und wartete wie ein Verurteilter auf die Hinrichtung.

Am frühen Nachmittag war es soweit. Bernstein kam an. Er sah übernächtigt und müde aus. Er verschwand für ein paar Minuten in seinem Büro und kam dann mit einem Stuhl und einem dampfenden Kaffee heraus. Er stellte den Stuhl neben den Ladentisch und setzte sich.

»Wie lief das Geschäft ohne mich?« fragte er.

»Ganz normal.«

Die Nachricht, daß ich ihm vierzigtausend schuldete, beschloß ich mir für den Schluß aufzuheben.

»Dafür ist die Spielzeugmesse danebengegangen. Ich war dort das einzige Spielzeug.«

»Ihre Freundin?« fragte ich.

Er nickte verbittert. »Wer anders kann mit einem alten Knacker so spielen als ein fünfundzwanzigjähriges Monster?«

Er nahm einen Schluck und sah auf den Boden wie jemand, der eine Beichte ablegen möchte.

»Sie hat sich in diesen drei Tagen selbst übertroffen. Wirklich, so habe ich sie noch nie gesehen. Es begann schon am ersten Tag. Sie bestand an der Rezeption darauf, daß wir uns als Ehepaar eintrugen. Ich war angenehm überrascht, denn so etwas hatte sie bis jetzt immer abgelehnt. Als sie aber die Anmeldekarte ausfüllte, trug sie uns unter Herr und Frau Bumsstein ein. Als ich sie fragte, was sie sich dabei gedacht hatte, sagte sie, daß sie jetzt in der Phase sei, wo man die Dinge beim Namen nennt. Ich dachte, mit diesem blöden Scherz wäre es überstanden, aber ich irrte mich. Sie kam gerade erst auf Touren. Wir wohnten in einem ziemlich guten Hotel. Unser Zimmer war im ersten Stock. Die Fenster gingen auf das Restaurant hinaus. Am Abend, als unten alles voll war, ging sie nackt auf den Balkon, sah in den Nachthimmel und rief: ›Josef, wo ist eigentlich die Venus?‹ Als das ganze Restaurant zu ihr hinaufstarrte, rief sie noch lauter: ›Willst du endlich mal herkommen und mir diese Scheißvenus zeigen, du großer Sternenliebhaber!‹ Ich saß auf dem Bett und hielt mir die Ohren zu. Nach zwei Tagen zeigten alle mit dem Finger auf uns. Am letzten Tag, also heute morgen, kam es endgültig zum Eklat. Wir saßen im Zimmer, und ich versuchte alles noch ins Lot zu bringen. Ich redete auf sie ein und versprach ihr alles mögliche. Ich erwähnte sogar, daß ich endgültig meine Frau verlassen würde. Sie bräuchte nur ein Wort zu sagen. Aber sie saß nur schweigend da und streichelte die Katze, die den Hotelbesitzern gehörte. Ich nahm aus meinem Sakko ein Geschenk und stellte es auf den Tisch. Es war eine Flasche Shalimar-Parfüm. Ihre Lieblingsmarke. Sie küßte mich dafür auf die Stirn, wie eine Enkelin ihrem Großvater einen Abschiedskuß gibt, und öffnete das Flakon. Dann hielt sie die Katze fest und leerte die ganze Flasche über ihr aus. Die Katze sprang wie verrückt herunter und verschwand durch das Fenster. Irina lächelte mir süßlich zu: ›Ab heute hast du eine neue Verlobte‹, sagte sie. ›Wenn du mit ihr bumsen willst, brauchst du nur dem Parfüm zu folgen, das du ihr gekauft hast. So einfach ist es mit uns Katzen, Josef. Immer deiner sechzigjährigen Nase nach.‹ Dann stand sie auf und ging zur Tür. ›Es ist vorbei. Begreifst du das endlich? Vorbei! Und versuch das nicht mit Pech, Schicksal oder weiß der Kuckuck was zu erklären. Es ist einfach das Leben. Verstehst du? Das gute, alte Leben. Also geh zurück in deinen Laden und spiel mit den Barbiepuppen.‹ Sie ging aus dem Zimmer und kam nicht mehr zurück. Sie hatte schlauerweise das Gepäck bereits an der Rezeption disponiert. Ich wartete noch zwei Stunden auf sie, aber sie war schon längst weg. Dann packte ich meine Koffer, bezahlte die Rechnungen und kam hierher.«

Bernstein verstummte und nahm einen Schluck Kaffee.

Ich tröstete ihn: »Es geht mich nichts an, Chef. Aber diese Irina ist ziemlich merkwürdig.«

Bernstein schüttelte den Kopf. »Sie ist nicht merkwürdiger als wir alle. Sie hat nun mal beschlossen, daß das Leben nicht achtzig Jahre, sondern acht Minuten dauert. Und deshalb benimmt sie sich, als würde sie im nächsten Augenblick sterben. Sie erkennt nur das Jetzt an. Das ist ihre Religion.«

»Das meine ich eben mit merkwürdig, Chef.«

Bernstein schüttelte wieder den Kopf. »Als ich so alt war wie Sie und Irina, verbrachte ich die meiste Zeit in einem Schachklub und feilte an der sizilianischen Verteidigung. Jeder andere Junge war bereits hinter den Mädchen her. Nur ich wartete darauf, daß jemand käme und mir sagen würde: ›Jetzt geh raus, dein

Leben hat begonnen.‹ Aber niemand kam. Deshalb war die einzige Frau, die ich bis zu meinem fünfundzwanzigsten Lebensjahr angefaßt habe, die Königin. Stellen Sie sich vor, ich hatte erotische Träume von einer Schachfigur. Aber wäre ich damals nur ein bißchen so merkwürdig gewesen wie Irina, wäre ich heute nicht der alte Knacker, der hier vor Ihnen steht.«

Bernstein trank seinen Kaffee aus und stand abrupt auf. Er nahm sein Sakko unter den Arm, wie er es immer vor dem Hinausgehen tat.

»Herr Bernstein«, sagte ich, »bevor Sie gehen, muß ich Ihnen noch etwas sagen.«

»Das war noch nicht alles«, unterbrach er mich. »Ich habe Ihnen das nicht nur erzählt, weil ich es mir von der Seele reden mußte, sondern weil ich Sie auch um etwas bitten möchte. Es hängt mit Irina zusammen. Ich möchte, daß Sie die Spezialdose aus dem Nachttresor wegschmeißen.«

»Wie bitte?! Ich soll den ganzen Wochenumsatz wegschmeißen?«

»In der Dose war kein Geld. Ich habe darin vor meiner Abfahrt ein paar Gedichte und Briefe versteckt, die für Irina bestimmt waren. Ich konnte sie aus verständlichen Gründen nicht übers Wochenende zu Hause herumliegen lassen. Meine Frau ist ehemalige Fallschirmspringerin.«

»Und Sie wollen nicht einmal mehr kurz hineinsehen?«

»Lieber nicht. In die Donau damit. Soll die auch mal für etwas gut sein. Tun Sie mir den Gefallen, Waldemar?«

»Warum nicht? Wenn Sie darauf bestehen, Chef.«

»Vielleicht werde ich es später bedauern, aber jetzt bestehe ich darauf.« Bernstein nickte, als hätte er etwas Unangenehmes, aber Notwendiges erledigt. »Und was ist mit Ihnen? Sie wollten doch noch etwas sagen? Es klang nach einer wichtigen Sache.«

Hervorgerufen durch die Nachricht, daß meine Schuld von vierzigtausend Schilling sich gerade in Luft aufgelöst hatte, herrschte in meinem Kopf eine solche Leere, daß ich am liebsten aufgelacht hätte. Aber dann fiel mir etwas Passenderes ein. »Ich wollte mich bei Ihnen bedanken, Herr Bernstein«, sagte ich. »Sie haben mich endgültig überzeugt, daß es so etwas wie Glück im Unglück gibt. Ehrlich gesagt, war ich mir dessen bis heute nicht ganz sicher.«

Bernstein legte mir freundschaftlich die Hand auf die Schulter: »Sie sagen das, um mich zu trösten. Das ist nett von Ihnen. Aber Glück oder nicht, Sie waren auch ein fleißiger Verkäufer. Sie haben so viele Wasserpistolen verkauft wie kein anderer vor Ihnen.«

»Waren?«

»Ich habe trotz allen Unglücks nicht vergessen, daß heute der Monat um ist und Sie wahrscheinlich kündigen werden. Doch sollten Sie es sich anders überlegen, können Sie bei mir so lange arbeiten, wie Sie wollen.« Er lächelte traurig. »Und jetzt lege ich mich ein bißchen aufs Ohr. Ich bin leider nicht mehr der jüngste Spielzeugverkäufer in der Gegend.«

Er ging zum Ausgang.

»Herr Bernstein! Chef!« Ich lief ihm nach und kramte aus meiner Tasche einen kleinen silbernen Gegenstand hervor: »Strecken Sie bitte die Hand aus.«

Bernstein führte erstaunt meine Bitte aus, und ich legte Herrn Kukas Feuerzeug in seine Hand.

»Es ist ein Glücksbringer, der wirklich funktioniert. Ich brauche ihn jetzt nicht mehr. Aber vielleicht könnten Sie ihn gut brauchen.«

Er betrachtete sichtlich gerührt Herrn Kukas Feuerzeug. »Ein Glücksbringer? Irina würde jetzt ganz schön über uns lachen, was?«

»Sie wird davon nichts erfahren.«

Er drehte sich zur Tür und öffnete sie. »Schließen Sie bitte wie immer das Geschäft ab. Bis morgen.«

Dann verließ er den Laden. Ich trat ans Fenster und sah ihm nach, bis er um die Ecke verschwunden war. Ich versuchte darüber nachzudenken, was gerade passiert war. Aber ich konnte mich nicht konzentrieren, denn zwei Gedanken füllten meinen Kopf vollkommen aus. Der erste war die Vorstellung, daß sich jetzt irgendwo in Wien die beiden Skins jüdische Liebeslyrik vorlasen. Und der zweite sagte mir, daß ich Josef Bernstein nicht auf Wiedersehen gesagt hatte. Dabei wäre das heute mehr denn je angebracht gewesen.

25

Es war ein warmer Frühseptemberabend, und durch das offene Küchenfenster strömte frische Luft vom Prater herein. Wir saßen zu dritt am Küchentisch und feierten schon seit zwei Stunden meine glückliche Rettung. Auf dem Tisch standen Teller mit Lachssandwiches und anderen Delikatessen. Zum ersten Mal im Leben sah ich eine Trüffel, echten roten Krimsekt und noch ein paar Delikatessen, bei deren Anblick Frau Simacek sofort die Miete verdoppelt hätte.

Dennoch sahen Lothar und Bolek nicht allzu glücklich drein. Sie hatten es den ganzen Abend nicht fertiggebracht, mir auch nur ein einziges Mal länger in die Augen zu sehen. Dafür studierten sie immer wieder ausgiebig den Wandkalender hinter mir. Darauf war der dritte September blau eingekreist. Und das machte ihnen schwer zu schaffen.

Schließlich hob Lothar wohl zum fünftenmal an diesem Abend sein Gläschen in die Höhe und sagte: »Trinken wir auf sein Riesenglück.«

»Trinken wir lieber auf seine Rückkehr nach Wien«, verbesserte ihn Bolek, und beide kippten ihre Gläschen. Sie stellten sie ab, und Bolek nahm ein Lachssandwich so vorsichtig vom Teller, als hätte er gerade einen Schmetterling gefangen. Er biß ein Stück ab und begann mit vollem Mund auf mich einzureden: »Wozu willst du überhaupt zurückfahren? Es ist doch das letzte Land, wo es sich jetzt normal leben läßt. Die bauen an jeder Ecke ein McDonald's und behandeln es wie ein Denkmal. Die Neureichen sitzen dort herum und trinken Milchshakes, als wäre es Champagner.«

»Er hat recht«, stimmte ihm Lothar zu. »Du fährst in ein Land, wo die Leute nur von einem Mercedes träumen. Tiefer kann man nicht sinken. Glaub mir, ich bin schließlich aus Stuttgart. Sicher verstehen die dort auch was vom Klauen und von Korruption. Das bestreite ich nicht. Aber solche Leute wie die Simacek oder Dr. Heftl müssen dort erst geboren werden. Hier ist man schon soweit, daß sich sogar Reiche umbringen. Es ist eine kranke, aber eine berechenbare Welt.«

»Mit einem gesunden und unberechenbaren Arbeiterstrich«, gab ich zurück.

»Das hast du schon hinter dir. Bernstein will dich für immer haben. Wer weiß? Wenn er mal abkratzt, erbst du vielleicht seinen Laden.«

»Und bleibe mein Leben lang Spielzeugverkäufer?«

»Ich will damit nur sagen, daß du hier die Möglichkeit hast, ein anderer Mensch zu werden.«

»Wollt ihr wirklich, daß ich ein anderer Mensch werde?«

»Nein, das hat keiner behauptet.«

»Ich muß zurück. Ich kann es euch nicht erklären, aber ich muß. Außerdem habe ich es meinen Eltern versprochen.«

Bolek und Lothar tauschten einen Blick.

»Wir haben schon geahnt, daß du stur bleiben wirst«, sagte Lothar. »Deshalb haben wir was für dich besorgt, um dir die Abfahrt zu erschweren.« Er griff in eine Plastiktüte, die die ganze Zeit unter dem Tisch gestanden hatte, und holte ein kleines Pferd aus Porzellan hervor. Er stellte es neben meinen Teller. »Echtes Meißen«, sagte er.

Ich nahm es in die Hand und drehte es verblüfft ein paarmal um. »Ich bin kein Porzellanfan, aber trotzdem vielen Dank. Ein hübsches Pferdchen.«

»Das ist kein Pferdchen, sondern ein Lipizzaner.«

Ich betrachtete es gleich mit anderen Augen. »Dann wird mir einiges klar. Und es ist sehr wahrscheinlich, daß ihr schon bald in der Kronenzeitung folgendes lesen werdet: EHEMALIGER WIENTOURIST ERSCHLÄGT EHEMALIGEN SCHACHSPIELER.«

»Das ist nicht alles«, sagte Lothar und zog aus der Plastiktasche eine Art großes Konfitürenglas mit einem schön bemalten Deckel hervor. »Wer mit Thunfisch hierherkommt, muß mit Kaviar zurückfahren.« Er stellte das Glas neben den Lipizzaner. »Zwei Kilo Beluga. War nicht leicht. Standen im Laden genau unter der Kamera. Wenn du es aufgegessen hast, kannst du es als Aquarium benutzen. Ich möchte, daß du dir nach deiner Rückkehr einen Goldfisch kaufst und ihn Lothar nennst. Versprichst du es?«

»Ich verspreche es.« Ich betrachtete gerührt das Glas mit dem Kaviar. So was Ähnliches, nur viel kleiner, hatte ich damals beim Billa mitgehen lassen.

»Ich danke euch«, sagte ich pathetisch, »aber ich bin weder gestorben, noch habe ich vor, es bald zu tun. Laßt uns lieber etwas machen, was echte Männer in einem solchen Augenblick tun würden. Gehen wir ans Fenster.«

Ich stand auf und zwang die beiden, mit mir ans Fenster zu kommen. Ich stellte mich in die Mitte. Rechts stand Lothar und links Bolek. Wir sahen hinaus. Vor uns lagen die Dächer Wiens. Man hörte den Straßenlärm heraufdröhnen. Die Sterne schienen zum Greifen nahe.

»Was seht ihr, wenn ihr hinausschaut?« fragte ich feierlich.

»Das kommt mir irgendwie bekannt vor«, sagte Lothar.

Ich wiederholte: »Was seht ihr da draußen?«

»Ich sehe eine Menge Straßen, die ich bald mit dem Preßlufthammer bearbeiten werde«, sagte Bolek.

»Und ich sehe immer noch diesen See mit den idiotischen Fischern.«

»Und was noch?« fragte ich.

»Ich sehe auch eine Menge Dächer, die repariert werden müßten, und wenn ich mich richtig anstrenge, sehe ich irgendwo eine hübsche kleine Wienerin, die ich hoffentlich bald durchnudeln werde«, sagte Bolek.

»Was soll das Theater, Waldi?« fragte Lothar ungeduldig. »Wir versuchen, dich hier von dem größten Fehler deines Lebens abzuhalten, und du machst das Was-seht-ihr-da-draußen-Spiel. Wozu?«

Ich überhörte das und fuhr fort: »Ich will euch sagen, was ich hier sehe. Ich sehe hier längst nicht mehr das, was ich beim ersten Mal gesehen habe. Ich sehe nicht mehr den Westen und das Paradies, auf das ich immer neugierig war. Ich sehe jetzt eine Stadt, in der ich ein Schwimmbad ausgehoben habe, das keines war, und in der ich mehr erlebt habe als in meinem ganzen Leben davor. Vor allem aber sehe ich einen Park, in dem jetzt irgendwo unter irgendeinem Strauch eine Ente schlummert.« Ich zeigte in die Dunkelheit. »Sie ist genau in diese Richtung geflogen und ist dann über diesem Dach verschwunden. Sie hat dank euch das größte Abenteuer ihres Entenlebens gehabt, und sie ist dadurch eine neue Ente geworden. Aber jetzt wird es langsam Zeit für ihre Rückkehr.«

Bolek und Lothar sagten kein Wort darauf.

Schließlich hüstelte Lothar: »Es war ein langer Tag heute. Ich gehe jetzt schlafen. Vergiß nicht, deinen Goldfisch zu füttern, wenn du ihn hast. Gute Nacht.«

»Gute Nacht.«

Lothar ging zurück in die Küche und verschwand im Wohnzimmer.

»Ich gehe auch schlafen«, sagte Bolek. »Aber ich habe noch eine Kleinigkeit für dich.« Er zog einen zerknüllten Zettel aus der Tasche und gab ihn mir. Darauf waren ein paar Ziffern gekritzelt. »Ruf dort an, bevor du wegfährst«, sagte er. »Jemand hat angerufen und diese Nummer für dich hinterlassen.«

»Wer?«

»Ruf ihn an, dann erfährst du es. Gute Nacht.«

»Gute Nacht.«

Bolek folgte Lothar ins Wohnzimmer.

Ich sah wieder aus dem Fenster. Vor mir lagen die Dächer der Stadt. Aber irgendwann gegen Mitternacht, als ich auch zu Bett gehen wollte, fiel mir ein, daß ich noch etwas sehr Wichtiges nicht getan hatte. Etwas, das ich tun wollte, bevor mir diese Geschichte mit Bernsteins Spezialdose dazwischengekommen war.

Ich betrachtete die Ziffern auf Boleks Zettel genauer und hatte plötzlich eine Erleuchtung. Ich wußte nun, von wem sie waren.

26

An diesem Abend sah die polnische Kirche wie verlassen aus. Das Tor war geschlossen, und nirgendwo, nicht einmal in der Sakristei, brannte Licht. Der Pfarrer war offenbar ausgegangen.

Ich lehnte mich an die Kirchenmauer und wartete. Es war Viertel vor acht, und ich zählte die Minuten. Es war die wichtigste Viertelstunde meines ganzen Wienaufenthalts. Aber dann atmete ich auf. Ich sah sie um die Ecke biegen und die Straße heraufkommen. Sie war ganz anders angezogen als beim letzten Mal. Sie trug ein dunkelgrünes Kleid und hatte Sandalen an den Füßen. Ihre Frisur war hochgesteckt und wurde bestimmt von einer Menge Haarspangen zusammengehalten. Sie war mindestens um einen Kopf größer. Als sie vor mir stehenblieb, betrachtete sie mich von oben bis unten, als hätte sie Mühe, mich wiederzuerkennen.

»Vielleicht täusche ich mich«, sprach sie mich an, »aber Sie haben sich irgendwie verändert, Waldemar.«

Ich zeigte auf ihre Frisur. »Sie sind auch ein bißchen anders. Übrigens, danke für die Telephonnummer.«

»Keine Ursache.« Ein Lächeln huschte über ihre Lippen, und sie zeigte auf die Kirche. »Wollen Sie mich etwa zum Altar führen? Eine Frau, die im vorherigen Leben eine Hexe war?«

»Unsere Kirchen dienen nicht nur zum Heiraten. Die funktionieren manchmal auch als Bushaltestellen.«

Ihre Augenbrauen gingen leicht nach oben. »Sie haben mich hierherbestellt, damit ich Ihnen zuwinke, wenn Sie abfahren? Das ist eine ziemliche Frechheit, finden Sie nicht?«

»Sehen Sie sich doch nur mal um. Steht hier irgendwo ein Bus?«

Sie sah sich um.

»Ich möchte weder heiraten, noch daß Sie mir zuwinken, Irina.« Ich zeigte auf die andere Straßenseite. »Alles, was ich will, ist, Sie zu einem Spaziergang im Belvedere einzuladen.«

»Sie überraschen mich schon wieder, Jungverkäufer. So viel kulturelles Interesse hätte ich Ihnen nicht zugetraut.«

»Sie hatten mir auch nicht zugetraut, daß ich in ein Museum gehe. Und was ist daraus geworden?«

»Eine Lehrstunde in Sachen weiblicher Schönheit, wenn ich mich recht erinnere.« Sie sah auf das Belvedere. »Also schön. Laßt uns dort die Neugier befriedigen.«

Ich wußte nicht, was sie damit meinte. Aber das interessierte mich im Moment auch nicht. Alles, was ich wollte, war, sie vor acht in diesen Park zu kriegen.

Wir überquerten die Straße und traten durch das Haupttor in den Park. Da es kurz vor der Sperrstunde war, war der Park schon fast menschenleer. Die letzten

Touristen liefen bereits in Richtung Ausgang. Wir bogen in eine breite Seitenallee ein und gingen eine Weile schweigend nebeneinander. Bevor wir mein Ziel erreichen würden, wollte ich mich ein bißchen mit ihr unterhalten. Wenigstens das war einfacher, als ich dachte.

Sie ergriff als erste das Wort: »Bernstein hat erzählt, daß Ihre Zeit in Wien bald vorbei ist. Man kann schon den Herbst in der Luft riechen. Wann werden Sie zurückfahren, Herr Spielzeugverkäufer?«

»Das hängt davon ab –«

»Wovon?«

Ich machte eine unbestimmte Geste.

»Von gewissen Ereignissen und gewissen Menschen. Wußten Sie übrigens, daß Bernstein mir eine Arbeit auf unbeschränkte Zeit angeboten hat?«

»Er ist erstaunlich freundlich zu Ihnen.« In ihrer Stimme lag ein leiser Verdacht. »Hat er geplaudert?«

»Worüber?«

»Spielen Sie nicht den Idioten. Das mag ich nicht. Man lebt viel zu kurz, um die Zeit mit Lügen zu verschwenden. Hat er etwas über unseren Ausflug aufs Land gesagt?«

»Er hat beiläufig etwas erwähnt.«

»Das bedeutet, Sie wissen alles. Wenn Bernstein was erzählt, dann in allen Einzelheiten. Er vergöttert Einzelheiten.«

»Sie vergöttert er noch mehr.«

»Phantastisch. Ich sollte dieser Plaudertasche den Hals umdrehen.«

»Sie sind wirklich grausam.«

»Das hat Bernstein auch gesagt?«

»Darauf bin ich von selbst gekommen.«

»Ich bin nicht grausam. Ich bin die Grausamkeit in Person.«

»Das macht Bernstein auch nicht gerade glücklicher.«

Sie blieb stehen.

»Was soll der Kitsch eigentlich? Sind Sie auch sein Laufbursche in Herzensangelegenheiten geworden?«

»Nein. Wie kommen Sie darauf? Außerdem haben Sie doch von Bernstein angefangen. Nicht ich.«

Ich erschrak, daß sie in Rage geraten und gleich davonlaufen würde. Sie hatte schon ein paarmal bewiesen, wie wechselhaft sie war.

Sie setzte sich wieder in Bewegung. »Und ich beende das Thema auch. Sie machen jetzt Ihren Mund auf und sagen mir, wieso Sie mich ausgerechnet hierhergeschleppt haben. Wollen Sie etwa mit mir bumsen, weil ich jetzt frei bin?«

»Hier? In einer öffentlichen Anlage?!«

»Sparen Sie sich Ihre Bemerkungen. Ich will Ihre Verkäuferargumente hören.«

»Ich möchte Ihnen nur etwas zeigen. Das ist alles.«

Ich bog in eine schmale Allee ein. Irina folgte mir. Sie ging so energisch, daß die Kiesel unter ihren Sandalen wegspritzten. Ich beobachtete sie diskret von der Seite und konnte trotz der Dunkelheit jede Falte in ihrem Gesicht erkennen. Sie war überhaupt nicht nervös oder eingeschüchtert. Ihr Gesicht strahlte Neugier aus auf das, was passieren würde. Wir gingen immer tiefer in den Park hinein. Mit jedem Schritt, den wir meinem Ziel näher kamen, duftete es immer stärker nach Efeu. Schließlich tauchte vor mir der Springbrunnen mit den vier Jahreszeiten auf. Gleich dahinter stand meine Bank.

Ich blieb stehen und drehte mich im Kreis herum: »Das wollte ich Ihnen zeigen. Den Ort, wo alles angefangen hat«, sagte ich feierlich.

»Also ich sehe nur einen alten Springbrunnen und eine gewöhnliche Parkbank.«

»Da täuschen Sie sich.« Ich zeigte um mich. »Das hier war meine erste Bleibe in Wien.«

Sie zuckte die Achseln. »Na schön. Sie sind nicht der erste und der letzte, der mich vergeblich in seine Wohnung geschleppt hat. Und ich dachte, Sie hätten etwas mehr Phantasie.«

Ich überhörte das und lief um den Springbrunnen herum. Ich ging auf die Bank zu und tätschelte sie. »Das hier war einen Monat lang mein Bett«, sagte ich. »Die Efeukugel da war der Schrank. Manchmal versteckte ich mich selbst darin, wenn ein Tourist kam. Und dort«, ich zeigte auf den Springbrunnen, »nahm ich regelmäßig ein Bad. Manchmal hielt ich mich an den Skulpturen fest, um nicht auszurutschen. Der Sommer hielt mir öfter das Handtuch. Aber meine Lieblingsgrazie war sofort der Herbst. Und dabei kannte ich Sie damals noch gar nicht.«

»Was heißt das, Sie kannten mich damals noch nicht?«

»Sehen Sie doch mal genauer hin. Der Herbst ist Ihnen wie aus dem Gesicht geschnitten. Sie haben eine dreihundert Jahre alte Zwillingsschwester aus Marmor.«

Sie ging zum Springbrunnen und betrachtete die Herbstgrazie. Sie fiel fast in den Brunnen vor Neugier. Dann kam sie zurück.

»Sie übertreiben. Eine gewisse Ähnlichkeit ist vorhanden, mehr aber nicht.«

»Mir reicht das jedenfalls.« Ich setzte mich auf die Bank.

»Wozu reicht das?« fragte sie und setzte sich neben mich.

»In meiner ersten Nacht in Wien stieg ich in diesen Springbrunnen und tat etwas Sonderbares. Ich schmiegte meine Wange an den Bauch der Herbstgrazie.«

Sie klatschte in die Hände. »An diese Statue, die mir angeblich ähnlich sieht? Grundgütiger, ich nehme alles zurück. Sie haben Phantasie. Wenn auch eine ziemlich schwülstige. Ich höre weiter.«

»Als ich ihren Bauch berührte, durchflutete mich die Wärme, die der Marmor gespeichert hatte. Nichts Ungewöhnliches, aber für mich war das wie ein Stromschlag. Ich stellte mir eine Frage, die ich mir vorher nie gestellt hatte. Warum bin ich hier? Ich meine, nicht in Wien und im Westen, sondern warum bin ich ausgerechnet in diesem Springbrunnen? Auf diesen paar Quadratzentimetern, auf denen meine Füße stehen? Die Welt ist so groß. Ich hätte jetzt in London oder Berlin sein können. Aber ich bin hier. Das kann unmöglich ein Zufall sein. Von da an suchte ich nach dem wahren Grund meiner Reise. Ich erlebte dabei alle möglichen Dinge. Ich habe zwei gute Freunde gewonnen, die mich nicht weglassen wollen, und noch tausend andere Dinge, die so unwahrscheinlich waren, daß Sie sie mir niemals glauben würden. Es war wie in einer Geschichte. Aber ich habe noch immer keine Antwort gefunden. Nur jemanden, der sie vielleicht kennt. Sie.«

»Was? Ich?« Sie lachte auf. »Also, das ist die beste Masche, die ich je gehört habe. Und ich habe schon wirklich einiges erlebt. Meine Freier waren schon alles mögliche: klug, gerissen, hinterhältig, aber ich habe noch nie einen so pathetischen Holzkopf getroffen.«

»Ich bin kein pathetischer Holzkopf. Genauso, wie das Ganze keine Masche ist.«

»Sondern was? Das große Schicksal? Bernstein läßt wohl wieder grüßen, wie?«

»Nein. Es ist das Leben.«

Sie schwieg und sah mich an. Noch nie hat mich jemand so mit den Augen durchbohrt. Als sie merkte, wie ernst es mir war, sagte sie verblüfft: »Das ist doch nicht wahr. Er ist vollkommen ernst.«

»Sagen Sie mir, warum ich hier bin.«

Sie schüttelte den Kopf wie jemand, der so überrumpelt wurde, daß ihm einfach die Worte fehlen, und öffnete den Mund. Aber es kam nichts heraus. Schließlich stand sie auf, sah sich um und sagte zu mir: »Na schön. Wenn Sie Ihre Antwort so unbedingt haben wollen, dann kriegen Sie eine. Aber ich warne Sie. Es ist eine *mögliche* Antwort. Vollkommene Antworten gibt es nicht.«

»Ich bin ganz Ohr.«

Sie sah sich um. »Kann mich hier jemand sehen?«

»Außer mir niemand. Das Haupttor ist schon zu.«

»Ach was? Daran wurde auch gedacht. Bravo! Na, dann sperren Sie jetzt Ihre Verkäuferaugen auf.«

Sie lief durchs Gras zum Springbrunnen und tauchte die Hand ins Wasser. »Es ist eiskalt!«

Dann stieg sie in den Brunnen und tat etwas, was ich bestimmt vor mir sehen werde, wenn ich im Sterben liege. Sie zog das Kleid über den Kopf. Sie trug keinen BH darunter. Dann zog sie sich das Unterhöschen aus und warf es ins Gras. Nackt watete sie die zwei Schritte zu der Herbstgrazie. Sie sah ihr einen Moment ins Gesicht und streichelte zärtlich ihre Stirn. Dann schmiegte sie sich an sie, auf eine ziemlich erotische Weise, fand ich, streckte die Hand in meine Richtung aus und rief leise: »Kommen Sie! Steigen Sie ins Wasser zu uns.«

Ich stand auf und ging auf den Springbrunnen zu. Ein paar Meter davor warnte sie mich: »In diesen Brunnen darf man aber nur unbekleidet steigen.«

Ich blieb stehen und begann mich auszuziehen. Und dann passierte etwas Seltsames. Während ich meine Kleidung Stück für Stück auf den Boden legte, hatte ich eine Vision. Die Zeit blieb stehen, und alle Ereignisse der letzten zwei Monate rollten vor meinen Augen ab wie ein Film, der verkehrtherum eingelegt wurde. Ich sah mich wieder rückwärts aus dem Belvedere hinausgehen und Irina vor der Kirche treffen. Danach stand ich wieder im Spielzeugladen, und Bernstein gab mir Herrn Kukas Feuerzeug zurück. Bolek erzählte mir die Geschichte vom Storch, bis wir wieder aufstanden und die Ente durch das Fenster hereinflog und sich auf Lothars Sakko setzte. Lothar und ich standen in Dr. Heftls Büro, und

Fräulein Nitsch nahm uns lächelnd den Tee weg. Bernsteins Spezialdose rollte aus der Hand des »Anfang-vom-Ende«-Skins in meine Tasche zurück.

Dann wurde der Film schneller. Das Schwimmbad begann sich von selbst zuzuschütten, ich fuhr rückwärts im Dream Travel zur österreichischen Grenze, wo vor den Augen von Arnold und seinen Männern dreiunddreißig Vögel aus dem Westen rückwärts geflogen kamen. Der Nachtfalter, der in der Fensterritze tödlich verunglückt war, wurde wieder lebendig und flatterte in die Nacht zurück. Ich gab Herrn Kuka das Feuerzeug, und er sprach in umgekehrter Reihenfolge seine Empfehlungen aus, während vor seinen Gauneraugen die Wodkaflasche mit jedem Gläschen voller wurde und schließlich in meine Tasche zurücksprang.

Aber der Film blieb nicht stehen. Er lief weiter und weiter, und ich wurde immer kleiner, bis ich auf die Größe von Herrn Kukas goldener Münze zusammengeschrumpft und an dem Punkt angekommen war, wo nichts mehr hinter mir, sondern alles vor mir lag.

Von einer unersättlichen Neugier gepackt, was wohl als nächstes passieren würde, sah ich zu Irina auf.

»Beeilen Sie sich«, rief sie leise. »Ich bekomme noch eine Lungenentzündung Ihretwegen.«

Ich stieg in den Springbrunnen und watete zu ihr. Sie reichte mir die Hand, damit ich auf dem glitschigen Boden nicht ausrutschte. Ich war auf einmal von fünf Frauenkörpern umgeben.

Irina sah mir aufmerksam ins Gesicht. Ich konnte ihren Atem auf meinem Gesicht spüren. Sie flüsterte: »Weißt du noch immer nicht, wozu diese Reise war?«

»Noch immer nicht.«

Sie drückte mich sanft nach unten, bis ich mich niederkniete. Dann legte sie mir die Hand auf meinen Kopf, als würde sie mir ein heiliges Sakrament spenden, und flüsterte: »Um hier zu sein.«

SERIE PIPER

Stephan Krawczyk

Bald

Roman. 361 Seiten. SP 2859

Der junge Familienvater Roman Bald ist ein sympathischer Taugenichts und Arbeitsverweigerer. In seiner provinziellen Heimatstadt gilt er als verrückter Spinner. Als Mitglied der »Gesellschaft zur Bewahrung des Großen Kanons« kann er seiner etwas ungewöhnlichen Leidenschaft nachgehen, nämlich Wörter sinnstiftend zusammenzufügen. Überall im Land brüten die Teilnehmer über den regelmäßig verschickten Rätselbriefen und suchen bei ihren Treffen gemeinsam nach der Lösung. Was sie nicht wissen: Ihr harmloses Treiben beunruhigt die Obrigkeit, und aus dem Spiel wird bald bitterer Ernst... Mit einer ganz eigenen Poesie und einem liebevollen Blick für die Geschicke der kleinen Leute erzählt Stephan Krawczyk vom Abenteuer, widerspenstig zu sein.

Radek Knapp

Franio

Erzählungen. 160 Seiten. SP 3187

Bloß fünfzig Kilometer soll es von Warschau entfernt liegen, doch scheint das kleine Kaff Anin hundert Jahre hinter der Zeit zu sein – sogar die wenigen Züge, die hier halten, werden noch mit Dampf betrieben. Dort leben Franio, der Analphabet und wunderbare Erzähler von Lügengeschichten, der junge melancholische Konditor Julius, außerdem Weiberhelden und Weltverbesserer, die alle dem Leben in Anin einen unverwechselbaren Rhythmus geben. Humorvolle Geschichten voller verrückter Details, überraschender Wendungen und viele Wärme.

»Radek Knapp grundiert seine Erzählungen mit diesem flüsterleisen Humor, der seine Wirkung nicht aus der Fallhöhe bezieht, sondern aus dem Wissen um das Bodenlose.«

Frankfurter Rundschau

PIPER

Ralf Bönt

Icks

Roman. 170 Seiten. SP 3244

Von Berlin an das Ende der Welt: Ralf Bönts junger Held Icks reist zurück in seine Heimat, ein tristes ostwestfälisches Kaff. Seit fast zehn Jahren hat er sich dort nicht mehr blicken lassen, und geplant war auch nur eine unverbindliche Stippvisite. Aber schon auf dem Bahnhofsvorplatz ist Icks mittendrin in seiner Vergangenheit, verfolgen ihn die Erinnerungen an seine erste Liebe, an die monströse Skulptur vor der Kunsthalle und den nicht gegebenen Elfmeter damals. Am Ende seines Besuchs wartet das Treffen mit den Eltern, dessen Ausgang ihm schon Stunden vorher gespenstisch deutlich vor Augen gestanden hat.
In einem rasanten Monolog und mit virtuosen erzählerischen Mitteln stellt uns Ralf Bönt den gepeinigten Icks vor. Und in dessen atemloser Rhapsodie über Jimi Hendrix, Konrad Adenauer, Gott und die Welt finden sich die Ideale und zerstörten Illusionen einer ganzen Generation wieder. »Icks« ist ein furioser Roman über das Erwachsenwerden und zugleich eine lakonische Abrechnung mit der deutschen Provinz.

PIPER ORIGINAL

Jakob Hein

Mein erstes T-Shirt

Mit einem Vorwort von Wladimir Kaminer. 152 Seiten. Klappenbroschur.

Jessica Drechsler zum Beispiel: Was hat sie, das andere nicht haben? Und wie gelangt man als schmalbrüstiger Komiker trotzdem in den Besitz des Poesiealbums von Claudia Ross? Das Leben steckt voller Geheimnisse, und unser jugendlicher Held Jakob Hein macht sich daran sie zu lüften: Er schreibt von der unbegreiflichen »Selbstverkaufsstelle« und dem unstillbaren Wunsch nach einer E-Gitarre, die er eigentlich gar nicht spielen kann. Er bietet jeder Herausforderung in seinem jungen Leben die Stirn, besäuft sich mit einem Getränk namens »Grüne Wiese« und stellt sich tapfer den zersägten Schweinehälften im Fleischkombinat Berlin.
Jakob Hein erzählt die tollsten Geschichten aus seinem Leben, ungeschminkt, schwärmerisch und gnadenlos witzig – von der mobilen ostdeutschen Wahlurne bis zu den intimen Details seiner Jugend wie zum Beispiel dem ersten T-Shirt, das eigentlich ein Nicki war.